TIENES
HASTA
LAS 10:00

FRANCISCO CASTRO

TIENES HASTA LAS 10:00

SUMA
de letras

Título original: *Tes ata as 10*
Primera edición: septiembre de 2016

© Francisco Castro, 1984
© Editorial Galaxia, S.A., Vigo, 2014
© 2016, de la presente edición en castellano para todo el mundo:
Penguin Random House Grupo Editorial, S. A. U.
Travessera de Gràcia, 47-49. 08021 Barcelona
© 2016, Ana Carballo Vázquez, por la traducción

Printed in Spain – Impreso en España

ISBN: 978-84-8365-896-3
Depósito legal: B-11785-2016

Impreso en Rodesa, Villatuerta (Navarra)

SL 5 8 9 6 3

Penguin
Random House
Grupo Editorial

A la memoria de mamá.

«Y el tesoro de la isla yace bajo algunas rimas en la cumbre prohibida de Vaea, en Vailima».

Luis Eduardo Aute, Vailima

«I'm in love for the first time».

John Lennon. «Don't Let Me Down», en Let it be, de The Beatles

«De noche, en la cama, pensé que era un material espléndido para un libro infantil: una biblioteca poblada por benévolos fantasmas de bibliotecarias viejas, que al revolotear por las estanterías dejan pistas entre el polvo de los libros para ayudar a tres niños intrépidos a encontrar el tesoro enterrado bajo el suelo. ¿Y qué mejor escondrijo para algo misterioso que una biblioteca? Miles de libros cerrados, cientos de anaqueles...».

Rebecca Makkai. El devorador de libros.

1

Es normal que en aquel momento no fuese consciente de lo que pasaba. Estaba cansado, mucho, presa de un agotamiento que se concentraba, hasta la contractura, en mis cervicales después de tantas horas de tensión, de pie tanto tiempo, acelerado y con taquicardias, esforzándome por controlar la ansiedad y no gritar y pedirles a todos que se fueran y que me dejasen en paz. Había oído decir a alguien horas antes que lo que tenía que hacer era tomar una pastilla e intentar dormir un poco. De hecho, esto es lo que se dice siempre en este tipo de situaciones, o lo que se les recomienda a los familiares más directos del muerto para que lleven mejor el asunto del tanatorio, recibir los pésames, ocuparse del papeleo de los curas: que alguien le dé un tranquilizante y que duerma un poco, que así por lo menos no sufre. No sé quién fue el que dijo eso. Está claro que fue un consejo nacido de la buena fe, eso de que me tomase un calmante y me echase a dormir, pero dije que no, claro que no. No quería ninguna pastilla que me tranquilizase en aquel instante que sabía duro y espantoso. Quería estar lúcido y entero, como sé que mi padre habría querido que me mostrase en una situación así. Él siempre decía que en cualquier lugar y circunstancia había que saber estar, y que para eso hay que esforzarse, aunque cueste, en mantener siempre las formas y no dar el espectáculo. Mi madre, más seca, diría que lo que hay que hacer es comportarse «como gente de nuestra clase y posición». Esa expresión, básicamente, quiere decir que nunca se deben mostrar los sentimientos en público, porque los ricos, ya se sabe, ni lloramos ni reímos ni sufrimos ni nos alegramos.

Mamá es una experta en eso de no mostrar emociones en público y en eso de demostrar que somos ricos.

En fin, mamá es experta en no mostrar emociones. Ni en público ni en privado.

En el entierro de mi padre, desde luego, tenía claro que iba a mantener las formas y guardarme las emociones bien dentro, donde nadie pudiese verlas.

Aunque lo que en realidad me pedía el cuerpo era sentarme en aquel sofá de la sala 8 del tanatorio municipal, delante del cristal y de su cadáver trajeado, y llorar su muerte inesperada, liberar un llanto grande y desgarrado que dejase clara la dimensión exacta del drama que suponía que se hubiese muerto mi padre de esa manera sorprendente y cuando aún teníamos tantas cosas de las que hablar, tantos asuntos de los que reírnos, tantas conversaciones pendientes, a pesar de tanto como hablamos, conversamos y reímos en los años que estuvimos juntos. Pese a que eso era lo que quería, y probablemente lo que necesitaba, no iba a salir ni un solo sollozo de mi boca.

A esas alturas ya llevaba muchas horas sin parar de atender gente, de hablar con este y con aquel, ofreciendo mi mejor cara a todos los que quisieron acercarse a darle el último adiós.

Y fueron muchos.

Cuánta gente quería a mi padre.

Cuánto lo querían y cuánto lo sigo queriendo yo.

Cuánto me va a costar borrarlo de mi vida, dejarlo ir, como dicen que se debe hacer con los que se mueren. Que se marchen del todo para que no nos atormente el dolor de su ausencia.

A pesar de mis esfuerzos, estaba claro que en cualquier momento iba a colapsar. Llevaba muchas horas enfrentándome a la sorpresa de aquella muerte que nadie esperaba que sucediese. Si hubiésemos sabido que este momento llegaría... Si, por ejemplo, hubiésemos sabido que tenía una enfermedad que iba a acabar con él, rápida o lentamente, todo el proceso habría sido, o así lo siento yo, mucho más fácil. Si hubiese padecido algo grave y se hubiese pasado varios meses postrado, esperando un fin inevitable y previsible, como le pasa a tanta gente, todo sería mucho más sencillo de asumir. Pero no. Nadie se esperaba que aquel día de enero, nada más levantarse de la cama, se cayese, como dice el tópico, redondo en el suelo. «Infarto de miocardio fulminante», escribió el médico forense, muy gráficamente y sin muchos más detalles, quizá de una forma muy poco clínica, en aquella hoja amarilla que me dieron a modo de informe aséptico de lo que había sucedido, como si la vida y la muerte de un hombre excepcional como mi padre pudiese resumirse en una hoja arrugada e infectada de burocracia administrativa e insensible.

Tenía sesenta y cinco años y toda la intención de jubilarse en unos meses, en cuanto hubiese dejado todo preparado en el periódico para quien fuese su sucesor en la dirección. Decía que ahora tocaba pasarle el mando a otro para dirigir el periódico, que él lo que quería era sentarse a leer libros, que le había dedicado demasiados años al periodismo y que ahora tocaba viajar, salir, acostarse a una hora normal... Descansar... En sus últimos años insistía mucho en eso y nos lo dijo a todos: que en cuanto se jubilase no se despegaría de los libros, de sus enormes bibliotecas, porque eran tantos los volúmenes que había atesorado durante su vida que los tenía repartidos entre la casa y el despacho. Eso era lo que quería para su jubilación: sumergirse en aquellos volúmenes que, gracias a él, alimentaron mi infancia de fantasía.

Alguien preguntó por mi madre.

Di una respuesta neutra que me evitase explicaciones.

—Mamá está en casa.

—Claro, es normal.

Por supuesto. Mi madre se había quedado en casa, fiel a sí misma y a sus hábitos, coherente con la manera de tratar a papá desde siempre.

Ella no estaba allí.

Y yo me alegraba de todo corazón de que no estuviese.

2

Mi padre, Antonio Correa, había sido hasta aquel día el director del *Eco de Vigo*. No un director cualquiera de entre los muchos que dirigieron la rotativa durante tantísimos años de historia —es el periódico decano del país—, sino que él era El Director, así, en mayúsculas. De hecho, en la Redacción, lo normal era dirigirse a él por ese nombre. «Mira, Director...», «Ayúdame, Director...». Existía la leyenda, que a él encantaba, de que él ya había nacido allí, en aquel despacho lleno hasta arriba de papeles, libros, estuches de todas las formas, colores y tamaños y objetos de toda clase que habían colonizado con el paso de los años, como moluscos de alguna especie vegetal desconocida o hongos tóxicos en una planta confiada, su mesa de trabajo; miles y miles de documentos que se mezclaban unos con otros, sin orden aparente, en columnas de formas y equilibrios arbitrarios que, de vez en cuando, por supuesto, se caían sin remedio. Cuando eso pasaba, mi padre los recogía sin muchos miramientos y, desde luego, sin ninguna preocupación ni sensación de desastre, para volverlos a esparcir por la mesa, de cualquier forma y un poco como cayesen, o incluso por las sillas del despacho, que vaciaba con naturalidad en caso de que alguien se tuviese que sentar, formándose así, en cualquier esquina, otra nueva columna caótica de papel. Para él lo importante era que no estuviesen en el suelo. Vi papeles en el mismo sitio de la mesa o de las estanterías durante años —incluso algunos estuches ennegrecidos por el paso del tiempo y cubiertos de polvo que tenían escrito con rotulador rojo un absurdo «Urgente», pues nunca se habían llegado a abrir—. Si alguna vez alguien decía algo sobre aquel enorme caos, o incluso sobre la suciedad que lo cubría todo —la señora de la limpieza tenía prohibidísimo mover los papeles y solo limpiaba un poco por encima y como podía—, él respondía aclarando que el desorden era solo aparente y que sabía a la perfección dónde estaba cada papel, cada documento y cada libro.

Y, por increíble que parezca, así era.

Antonio Correa fue, durante décadas, en su condición de Director, el alma, el pulmón y el motor del periódico. Quien lo haya visto trabajar sabe que estaba hecho para pilotar aquella nave gigantesca que conocía al milímetro después de dedicarle tantísimos años de su vida y, sobre todo, tantísimas horas al día, cada día de cada semana. Eso explicaba en parte que hubiese tanta gente en su entierro.

Había llegado al puesto con solo treinta años, convirtiéndose así en el director más joven del país. Cuando accedió al cargo ya era un periodista veterano y respetado dentro de la Redacción, pues llevaba dándole a la tecla desde los quince años; a esa edad entró en el periódico e hizo de todo desde el primer día, desde cargar furgonetas con los ejemplares de madrugada hasta redactar los anuncios por palabras, asumiendo pequeños trabajos para irse curtiendo en la profesión. Antes, las cosas en los periódicos —en el mundo en general— funcionaban de esa forma. Un operador de cine, por ejemplo, no hacía un ciclo formativo de operador cinematográfico para poder trabajar en una sala de proyecciones; si alguien quería ese trabajo, se metía en una cabina —si es que lo aceptaban— como *aprendiz* (la palabra no puede ser más transparente) y un trabajador veterano le enseñaba la labor poco a poco para que cuando él se retirase su aprendiz heredase el trabajo con la seguridad de saberlo absolutamente todo sobre el oficio. En el periodismo las cosas eran parecidas, por eso hay toda una generación de periodistas —aunque ya quedan muy pocos por razones de edad— que aprendieron el oficio a base de trabajo práctico en las redacciones. Digamos que se hicieron periodistas haciendo periodismo —las facultades de Ciencias de la Información llegaron más tarde y mi padre no creía mucho en ellas. Siempre decía que allí te podían dar un título de periodista, pero que para serlo de verdad, para tener el derecho a emplear ese título, había que aprender en la calle, como había hecho él en sus tiempos, al igual que otros muchos; de hecho, le gustaba repetir aquella frase de Gabriel García Márquez de que en las escuelas de periodismo se aprendía de todo menos el oficio de periodista—.

Así que cuando le ofrecieron con treinta años la dirección del periódico, a nadie le pareció que, a pesar de su juventud, la decisión hubiese sido fruto de un impulso de don Ramiro García de Costas, es decir, el dueño de la cabecera, es decir, mi abuelo y padre de mi madre. Estaba claro que se lo ofrecía porque era muy buen periodista, el mejor de todos, un periodista de raza y de esos, como él decía con aquella voz fuerte y grave que tenía, que si es necesario beben tinta y comen papel para sacar el periódico del día siguiente como sea —qué mal se llevó estos años con esta nueva generación de redactores que tienen en Google su principal fuente de información y que procuran no moverse mucho de delante de la pantalla y pisar la calle lo menos posible; «periodistas de corta y pega», les llamaba—. Él sabía, claro que sí, que el puesto se lo daban también por ser el yerno del propietario, pero eso, a nada que se piense, a nadie le tendría que sorprender: si tenía a su hijo político en la Redacción, y era un tipo más o menos competente, y el periódico era suyo —como sigue siendo de mi madre y como será mío en el futuro—, entonces era normal que le ofreciese el cargo a él antes que a otros. Así que a nadie le pareció mal la decisión del anciano editor.

El abuelo, ahí queda su carrera para confirmarlo, no se equivocó y mi padre demostró, y más que sobradamente, su valía durante los treinta y cinco años que se ocupó de dirigir el periódico, modernizándolo y acompañándolo a través del paso del tiempo.

Mi padre trabajaba en aquellas rotativas más que nadie.

3

Mi padre amaba el periodismo. Le encantaba su profesión y por eso pasaba horas y horas en la Redacción. Entraba a las doce del mediodía y no llegaba a casa hasta las tantas de la madrugada. Con él se cumplía ese tópico ideal de que el jefe debe ser el primero en entrar por la puerta y el último en apagar la luz, si es que es un buen jefe y quiere que sus subordinados lo respeten. A pesar de la cantidad de trabajo que recaía sobre sus hombros nunca lo vi cansado, o por lo menos nunca lo oí quejarse. Él era de esos profesionales que cuando hablan del «compromiso con los lectores» se lo toman muy en serio. Sabía que el taxista, la carnicera, la gente que se pasa todo el día en el bar tenían fe en lo que el *Eco* contaba y también en cómo lo contaba. Era consciente de eso y por ello se sentía obligado a estar siempre a la altura de esa confianza. No dejaba de repetir que eso era algo que solo se podía conseguir y sobre todo mantener trabajando muy duro y dedicándole muchas horas. Estoy seguro de que aunque no se hubiese casado con mi madre, también lo habrían nombrado director del *Eco* o de cualquier otro periódico, pues era para lo que había nacido.

Sobre la ceremonia y el entierro recuerdo con absoluta nitidez el alivio que sentí cuando me di cuenta de que aquello se acababa. El cura pronunció un responso al tiempo que un operario sellaba con cemento los bordes de la lápida. El sonido de la paleta sobre la piedra, áspero y brutal, me hizo ser muy consciente de que en ese momento, definitivamente, sí que se acababa. La gente aguantaba firme y seria bajo los paraguas y yo me subí un poco el cuello de la gabardina —tan gris como yo mismo en aquella tarde triste— para resguardarme del frío en la medida de lo posible. Aunque no sé si lo que quería era cubrirme del frío o taparme y desaparecer sin más. Volverme invisible. Porque yo no quería estar allí. No quería enterrar a mi padre. Aún no era capaz de aceptar su muerte. Quería tenerlo conmigo muchos años más, precisamente ese tiempo que yo imaginaba más feliz para él, por fin liberado del agobio del trabajo.

Aún teníamos mucho por lo que reírnos juntos.

Pero se fue.

No quise ver cómo cerraban la lápida y quizá por eso mis ojos se concentraron en toda aquella gente, sobre todo en los que estaban más cerca de mí, o sea, más cerca de papá en aquel último instante. Pude reconocer a muchos de sus compañeros de toda la vida y quise aliviar un poco mi dolor pensando que papá querría tener a su lado en un día así a aquellos viejos amigos. La mayor parte de ellos ya estaban jubilados, justo como estaría papá en poco tiempo si la muerte no lo hubiese sorprendido como lo hizo. No me costó reconocerlos. Fue más difícil con los últimos que entraron en el periódico, sobre todo los que fueron contratados después de que yo me hubiese ido a vivir a Coruña hace veintidós años. Reconocí a todos los *históricos,* más envejecidos, más calvos y más gordos. Pero eran ellos. Los compañeros y amigos de papá. Los colegas, en el sentido amplio de la palabra. Reconocí a Guillermo, con la misma barba de siempre pero ahora totalmente blanca; a Roma, al que vi discutir un montón de veces con mi padre, sobre todo los lunes, y siempre sobre el juego del Celta el día anterior; a Juan, a quien recuerdo así de anciano cuando yo era un niño muy pequeño y mi padre me llevaba a la Redacción después del colegio, cuando salía de la escuela de la señorita Mari y me recogía en el MG —esa es la memoria del primer coche que recuerdo— para tenerme con él toda la tarde. Esto no era todos los días, por supuesto, solo de vez en cuando. Pero no había una sola semana en la que yo no pasara un día o dos en el periódico con papá. Cuando eso sucedía —cuando mamá no estaba por cualquier cosa— todo era diversión, pues me dejaba a mi bola en su despacho. Me encantaba ocupar su silla. Fui un niño muy feliz en medio de aquel océano divertidísimo de papeles y libros. Me recuerdo a mí mismo en aquel caos que siempre olía a tinta haciendo los deberes, leyendo o, simplemente atento a todo el barullo que iba creciendo a mi alrededor, en especial cuando se acercaba el momento de cerrar la edición y, día sí, día también, todo estaba sin terminar y todo eran gritos y prisas. La gente corría de un lado a otro. Recuerdo con nitidez el ruido de las máquinas de escribir echando humo, los timbres agudos de varios teléfonos sonando al mismo tiempo y, sobre todo, los gritos enloquecidos de aquellos hombres, aumentando el volumen de las voces cuanto más se acercaba la hora de cerrar.

En la Redacción del periódico, acurrucado debajo de la montaña de papeles de mi padre, pasé las tardes más felices de mi infancia.

Estoy viéndolo ahora entrando y saliendo del despacho ajeno por completo a mí, centrado en su trabajo, casi siempre con un rotulador negro sujeto entre dos dedos o en la boca, como si estuviese fumando, aunque él nunca, que yo sepa, probó el tabaco, cosa rara perteneciendo a ese colectivo lleno de fumadores compulsivos en el que estaba. Él se centraba en lo suyo, como si yo no estuviese allí, y no me hablaba a menos que fuese estrictamente necesario. Aunque a mí me daba igual y no me sentía abandonado, porque yo ya sabía que no podía pararse a hablar conmigo o a atenderme. A mí, desde luego, tampoco se me pasaba por la cabeza interrumpirlo bajo ningún concepto. Y allí, en tardes infinitas, fui comprendiendo la lógica de su trabajo, en cierta manera de artesano; por ejemplo, cuando el redactor jefe le entregaba aquellas páginas grandísimas —o a mí me parecían grandes, tengo la sensación de que los periódicos de hoy son más pequeños—, las pruebas de maquetación de la primera página, o de cualquier otra para que las aprobase. Él esgrimía su rotulador y se ponía a dibujar flechas por todas partes, a tachar o a escribir sobre la página, a cambiar el texto a la vez que explicaba, resolutivo y sin paños calientes: «Esto tiene que ir arriba» o «Esto es muy corto» o «Buscad otra foto, que esta no se ve» o «A ver cuándo vienen los teletipos» o «Id cerrando esta parte y dejamos un hueco para el final del partido y ya lo cubro yo». Yo sentía que él era como una especie de mago, pues todo lo que decía que se debía hacer con aquella primera página finalmente pasaba. Si decía «Esta foto sí y esta no», al día siguiente una foto estaba y la otra no estaba; si decía «El titular más grande y el anuncio lo ponéis abajo», al día siguiente se veía un titular grandísimo y el anuncio, en efecto, estaba abajo. Recuerdo que aquellas páginas sobre las que escribía y tachaba siempre terminaban, al final del día, tiradas por cualquier parte, incluso en el suelo de su despacho, y yo a veces me las llevaba y al día siguiente, con el periódico en la mano, podía reconstruir paso a paso la creación de la primera página de aquel mismo ejemplar que encontraba en la mesa del salón cuando me levantaba y que sabía que traía directamente desde la rotativa, como él decía, «fresco como el pan recién hecho».

Todos aquellos recuerdos fueron algunos de los momentos felices que me vinieron directos desde el corazón aquel día del entierro de mi padre. Las pocas veces que me veía sin hacer nada, ya sea porque había terminado de hacer los deberes, porque era sábado o vacaciones o porque no tenía nada que hacer, se subía en una pequeña escalera de madera de tres peldaños que había al lado de la puerta y, después de dedicar unos minutos a echarle un ojo a los estantes, sabiendo con certeza lo que quería encontrar, me cogía un volumen que me ponía en las manos sin ningún tipo de explicación y cuya lectura tendría que ocupar mis tardes en los días siguientes. Nunca me preguntó si quería leer lo que me daba o si me apetecía leer ese o cualquier otro de aquellos libros. Me decía: «Toma, lee». No decía: «Mira a ver si este te gusta» o «Prueba a ver qué tal está». Me decía «Toma, lee» y yo me ponía a leer, y casi siempre me gustaba lo que escogía para mí. De esta forma, una gran parte de la gran literatura universal fue entrando en mi cabeza gracias a sus acertadas elecciones. Esa misma literatura maravillosa con la que pretendía ocupar sus últimos años después de la jubilación, como me había contado un montón de veces.

Recuerdo una vez que me cogió por los hombros con una actitud que me sorprendió por su solemnidad y, mirando hacia toda aquella pared llena hasta rebosar de libros, unos encima de otros, me dijo:

—Aquí está todo lo importante, hijo mío. Lo del colegio está bien, y debes estudiar mucho, como siempre te dice tu madre, para ser un hombre de provecho y llegar alto, pero las cosas que importan, las realmente importantes, están todas en estos libros que ves ahí. Las que alimentan el corazón están ahí. —Mi padre era así, decía ese tipo de cosas—. Los viajes más hermosos, las aventuras más increíbles, las grandes pasiones humanas están todas ahí, en esos libros imprescindibles. Y son todos para ti.

Hoy, tanto tiempo después, al volver a traer a mi mente esas palabras sé, sin duda alguna, que era cierto lo que me decía y comprendo el sentido profundo de lo que quiso decirme.

Lo sé. Claro que lo sé.

4

Antes de irme del cementerio miré de reojo la lápida. Fue una mirada que no duró más de un par de segundos, pues no fui capaz de hacerlo durante más tiempo. Al momento sentí cómo las lágrimas me volvían a los ojos y escuché de nuevo la voz de mi padre pidiéndome formalidad.

Luego, en el coche sí que lloré. Mucho. Allí sí que podía hacerlo, ya no había formas que guardar y la voz de mi padre se mantenía en silencio. Refugiado en la intimidad del coche, dejé que desbordase en torrente aquella presión insoportable. Protegido, además, por el vaho que cubría los cristales y que me aislaba por completo del exterior, lloré hasta quedarme vacío. Solo cuando sentí que ya volvía a ser yo y que estaba más o menos sereno, puse en marcha el motor para irme a Coruña.

Ya no tenía ningún sentido quedarme más tiempo en Vigo. Aun así, no podía irme sin llamar a casa. No me apetecía en absoluto, pero me sentía obligado. A pesar de todo era mi madre y, por fría que fuese nuestra relación, por decirlo de alguna manera, seguía siendo su hijo. Además, no quería por nada del mundo que me llamase unos días después para afear mi conducta y recordarme que ni siquiera la había llamado el mismo día del entierro de mi padre. Así que marqué el número mientras me incorporaba a la autopista, sabedor de que no me iba pedir que fuese con ella y que no iba a tener que dar la vuelta. Contestó Rosamari.

—Hola, Toni, ¿cómo estás?

Rosamari es la señora que desde hace unos años está de interna en nuestra casa para echarnos una mano con la logística doméstica y, sobre todo, para ocuparse de mi madre. Tiene unos años menos que ella, pero, a diferencia de mamá, se conserva muy bien en todos los sentidos, tanto física como mentalmente. Menos mal que está ella, porque mamá no tenía, ni las tuvo nunca, amigas de ningún tipo en las que refugiarse; nadie, nunca, a quien pedir ayuda. Por lo menos que yo sepa no las tenía antes y estoy seguro de que tampoco las tiene hoy. De joven tuvo una vida social muy intensa y siempre estaba fuera, reunida, atendiendo los negocios del patrimonio familiar, en los notarios o abogados, o yendo a alguna parte, ocupada siempre con algo. Pero desde que la artrosis empezó a machacarla fue reduciendo cada vez más sus movimientos y ya no salía casi nunca. Y mi padre, desde luego, no la sacaba a pasear.

No tengo recuerdos infantiles en ese sentido. No recuerdo ir nunca los domingos de paseo los tres juntos.

Rosamari vivía con ellos las veinticuatro horas del día. Para mí supuso un alivio cuando aceptó quedarse en casa. Sé que para mi padre también fue un elemento tranquilizador, pues él no tenía la más mínima intención de dejar su vida de periodista para pasar más tiempo con mi madre cuando su cuerpo y los años comenzasen a pasarle factura. Además, la presencia permanente de Rosamari tampoco resultaba extraña del todo, pues siempre hubo gente viviendo con nosotros para ocuparse de las tareas domésticas.

Es lo que tiene ser ricos.

—¿Cómo está mi madre?

Rosamari me respondió después de un silencio de un par de segundos que decía mucho y que en sí mismo ya era la respuesta. Después dejó escapar un suspiro que también hablaba por sí solo.

—En fin, ya la conoces. Tu madre es de hielo. Es imposible saber si está bien o mal, incluso en un día como hoy.

—¿Le has dicho que puedo acercarme hasta ahí, como te comenté, si ella quiere? ¿Que me puedo quedar unos días si necesita cualquier cosa, arreglar papeles o lo que sea?

—Sí, se lo dije.

—¿Y qué te respondió?

—Que no, que no es necesario que te quedes. Que entre las dos nos apañamos. Que ya mañana irá a la asesoría para empezar a arreglar todos los papeles. Que cuanto antes, mejor.

—¿Y no dijo nada más?

Respondió a mi pregunta primero con otro silencio, que esta vez fue una sentencia.

—Sí. Que vuelvas a Coruña y que sigas con tu vida.

Por eso sabía que podía llamarla desde la autopista para ir ganando tiempo en el viaje. Tenía claro que no me necesitaría a su lado.

Así que le haría caso: llegaría cuanto antes a Coruña. Lo único que quería era dormir y descansar todo lo posible para, al día siguiente, en efecto, seguir con mi vida.

Lo más lejos posible de mi madre.

5

En cuanto llegué a la oficina, Celia se levantó desde detrás del mostrador para darme un abrazo y un beso. El primero fue cálido y envolvente. El segundo intenso e inolvidable.

Cerré los ojos cuando lo hizo.

—Lo siento mucho.

Esas tres palabras, tantas veces oídas en la víspera y de tantas bocas, salieron de la suya llenas de verdad. Al tiempo que las oía acercó su cuerpo al mío. Quería, sin duda, que la sintiera a mi lado. Me daba así su calor y apoyo en aquellos momentos tan difíciles para mí. Y yo la sentí, claro que sí. Noté su cuerpo muy cerca del mío, muy caliente y muy, muy suave. Saboreé el dulce aroma que emanaba de su cuello, de su nuca y de su piel. La noté a ella. Noté a Celia. Conmigo.

Le di las gracias procurando que no se me notase la emoción, esforzándome para que no me temblase la voz. Me contuve para que tampoco sintiese la excitación que la proximidad de su cuerpo me provocaba, ahora totalmente turbado por aquel abrazo interminable.

Nos quedamos cogidos de las manos durante unos segundos y, así agarrados, nos miramos en lo más profundo de los ojos. Yo estaba cansado y, como es fácil imaginar, con las defensas anímicas por los suelos. A pesar de mi intención, lo cierto era que no había dormido prácticamente nada y que había dado vueltas y más vueltas en la cama sin ser capaz en ningún momento de aquella noche larguísima de sacarme de la cabeza la imagen de mi padre muerto dentro del ataúd, en aquella caja que sería su última morada para toda la eternidad. No fui capaz de recordarlo de ninguna otra manera, a pesar de lo mucho que me esforcé por atrapar otra imagen para poder sobrevivir a la oscuridad. No pude. Por mucho que lo intenté, no fui capaz. Solo me venía, una y otra vez, el recuerdo de su cadáver inesperado. Cuando en realidad había miles de recuerdos mil veces mejores y felices a los que aferrarme aquella noche.

Como cuando jugaba conmigo a resolver aquellos enigmas que tanto me gustaba que me propusiese y que me tenían ocupado horas y, a veces, incluso días enteros.

Cuánto disfrutábamos con eso...

Él aparecía por el despacho y, sin mediar palabra, dejaba caer un papel sobre el libro que estuviese leyendo, o sobre los deberes, o sobre mis manos; o cuando llegaba ya había un sobre en la mesa con mi nombre escrito por fuera, invitándome así a abrirlo y dar comienzo al juego. En el papel siempre venía una pregunta escrita a máquina con la vieja Underwood. Recuerdo algunas muy divertidas: «¿Cómo se llaman los que fabrican las planchas del periódico? Tienes cinco minutos». Y entonces yo bajaba a toda mecha a las rotativas que estaban en el sótano para preguntarles a los que trabajaban allí para luego regresar y contarle que la respuesta correcta era «linotipistas». O aquella otra: «Hay un pirata en un libro que tiene un loro que grita: "¡¡¡Doblones, doblones!!!". ¿Cómo se llama?». Entonces yo me acordaba de que era algo que pasaba en un libro, en alguno de los que me había dado, claro, y me lanzaba de cabeza a los de piratas o a los de viajes. Si la pregunta era sobre piratas, tenía que ser alguno de esos, y daba vueltas por aquí y por allá, cogiendo libros y dejando otros, absolutamente entregado a su juego, abriendo todos los que fuese necesario hasta que me daba cuenta, o me acordaba, o leía, o como fuese que conseguía saberlo, que ese era el pájaro de Long John Silver en *La isla del tesoro,* de Stevenson.

Cuando encontraba el párrafo exacto, lleno de orgullo, se lo enseñaba con el dedo índice, rígido y feliz como el bastón de Barbarroja:

—¡Mira! Aquí está el loro gritando «¡¡¡Doblones, doblones!!!». ¡Es *La isla del tesoro!*

Y siempre, siempre y sin fallar una sola vez, su mirada orgullosa venía acompañada de chocolate, una chocolatina que sacaba de uno de sus cajones, normalmente de una marca que me entusiasmaba ya solo por como sonaba su nombre: Die Deutsche. Eran unas chocolatinas pequeñas, muy planas, envueltas en un papel finísimo, rojo y blanco por la mitad, como si fuese una bandera de un país exótico que no figuraba en ninguna enciclopedia. El nombre, Die Deutsche, ya informaba de su remoto origen, por lo menos para un chiquillo tan pequeño como yo (la traducción sería «la alemana»). Cuando las tenía en la mano, leía y volvía a leer aquellas frases en germánico impronunciable y fabuloso que solo muchos años después conseguí que alguien me tradujese: *Gedämpft Schokolade*, o sea, «chocolate al vapor», fascinado por aquel idioma que parecía mágico y por aquellas frases que le daban al momento más calidad de la que sin duda ya tenían aquellas deliciosas piezas negras. Recuerdo que en la parte inferior de cada envoltorio, en letras elegantes y negras, figuraba el nombre de aquella ciudad que no podía imaginar de otra forma que no fuese una gran y feliz urbe hecha completamente de chocolate, como la fábrica de Charlie en la fantasía de Roald Dahl: *München*. También había de otra marca, pero estas las vi mucho menos, con un envoltorio beis, brillante y metálico, que decía *Sonderklasse*, es decir, «clase especial», un tipo de chocolate mucho más caro y por eso menos abundante en aquella regalía de premios a los que me tenía acostumbrado papá.

Así eran aquellas chocolatinas de mi infancia. Y lo que había debajo del papel de plata era siempre una fiesta en mi boca. Esos eran los premios. Como a él le gustaba decir en aquellos momentos de felicidad inocente, con voz de anuncio de televisión: «¡Chocolatinas Die Deutsche para el chaval más listo del mundo!». Otras veces las adivinanzas eran realmente complicadas y tenía que seguir las pistas que me iba dejando durante días. Aunque la verdad es que siempre conseguía encontrar lo que me pedía que buscase... La posibilidad de ganarme una chocolatina era una motivación más que poderosa para aquel niño goloso que yo era...

Pero no conseguí que me llegase ninguno de esos recuerdos durante aquella noche espantosa. No pude a pesar de lo mucho que me esforcé.

Solo fui capaz, y tardé días en liberarme de aquella imagen fúnebre y triste, de recordarlo allí dentro de la caja de madera, tan serio, tan trajeado y con las manos cruzadas sobre el pecho.

Tan muerto.

—Tienes una cara espantosa —dijo Celia.

—Pues tú sigues igual de guapa que siempre.

Y entonces sonrió como solo Celia sabe sonreír.

Y yo entendí que ya podía empezar el día.

Mi comentario sirvió para que pusiésemos fin a aquel recibimiento necesario y, desde luego, sincero que mi compañera de trabajo me había regalado aquella mañana de vuelta a la oficina tras la muerte de mi padre.

Soltamos las manos y separamos nuestros cuerpos.

Aunque durante medio segundo nuestras bocas estuvieron cerca.

Intensamente cerca.

En el año y pico que llevaba trabajando para mí en la editorial le había hablado muchas veces de papá y ella había escuchado —la oficina es pequeña y no tenemos despachos, compartimos el reducido espacio sin muchas intimidades; de hecho, solo hay un baño que usamos ambos— muchas de las larguísimas conversaciones que papá y yo manteníamos por teléfono en cualquier momento del día o de la tarde, cuando a cualquiera de los dos se nos ocurría que podíamos llamar, que nos apetecía llamar, que queríamos llamar. Que nos queríamos llamar.

Sobre esto diré que estoy seguro de que mi madre nunca supo de estas conversaciones y que nunca llegó a imaginar la cantidad de horas que mi padre y yo pasábamos a la semana hablando de cualquier cosa: asuntos importantes o intrascendentes, a veces de trabajo, a veces de libros... El *qué* no importaba; lo importante era que hablábamos, que sentíamos la necesidad de hablarnos, de saber el uno del otro, de oír la voz del otro, el padre la del hijo, el hijo la del padre. Y sí, estoy seguro de que mi madre nunca supo nada, porque sé con total seguridad que papá no le hablaba de absolutamente nada. Ni sobre esto ni sobre nada. Suena duro dicho así. Suena incluso exagerado; pero las cosas eran así entre ellos. En casa nunca los vi hablar de nada que no fuesen las trivialidades cotidianas de la vida en común, sobre todo de asuntos relacionados con la intendencia general del día a día. Y yo pensaba —¿cómo no pensarlo?— que aquello era lo normal, que los adultos no hablaban entre ellos más que lo estrictamente necesario. Que lo habitual era decir hola al llegar, adiós al marcharse y poco más. Y eso creía hasta que iba a jugar a casa de otros niños del barrio y comprendía, al ver a otros padres, que las cosas no eran en absoluto así.

(A veces pienso que nunca me casé por culpa de esa experiencia *anormal*. A veces pienso que la relación entre mis padres me provocó alguna clase de trauma en lo que se refiere a la vida en pareja y al matrimonio que jamás superaré. Sé que las cosas podrían haber sido diferentes; pero si en cuarenta y cinco años no logré comprometerme formalmente, nunca, con ninguna mujer, imagino que es por eso. Por nada del mundo querría la vida de mi padre. Quizá se amaron apasionadamente en algún momento de sus vidas —siempre me costó imaginar esa posibilidad, pero tal vez sí que pasó—, ¿quién sabe si en algún momento soñaron con un futuro lleno de mariposas juntos...? Pero su vida en común, la vida que a mí me mostraron era una mala vida de pareja aburrida que, aunque en algún momento hubiese sido azotada por la chispa de la pasión, hacía ya mucho tiempo que no se deseaba. Sobre eso no tenía ninguna duda. En aquella relación no había amor y eso se me debió de grabar a fuego en el corazón, porque en todos estos años encontré y compartí momentos realmente hermosos con mujeres deliciosas de las que escapé cuando entendí que esperaban de mí que diese un paso más comprometido. Supongo que es algo natural que lo quisieran. Imagino también que fue inevitable, por lo que digo, que yo nunca hubiese querido darlo).

Celia sabía la admiración que sentía por él y lo unidos que estábamos, así que no le costó imaginarse, y casi sentir como propio, el dolor que me provocaba su muerte. Ella sabía cuánto lo quería, como sabe de mi extraña relación —aunque sería mejor decir que no hay ninguna relación— con mi madre. Así que cuando la llamé desde casa para decirle que me iba con urgencia a Vigo, que mi padre acababa de morir de un infarto, noté cómo la tristeza que expresaba mi voz rota pasaba a ser también su tristeza. Sentí que le dolía. Sentí que también estaba herida. Que la noticia también le había hecho daño. Y pocos «lo siento» me parecieron más sinceros que el que salió de su —hermosa— boca.

La llamé por la noche, en cuanto llegué a casa. Me había recomendado —más bien *ordenado*— que no fuese a trabajar al día siguiente, que no fuese tonto y que cogiese un par de días de descanso, que ella podía ocuparse de todo y que lo que yo tenía que hacer era desconectar, ya que seguramente tenía la cabeza en las nubes y ningunas ganas de ponerme a corregir, cotejar textos o maquetar páginas. Sé de sobra que ella puede hacerse cargo de todo y que yo podría quedarme en casa, que no pasaría nada aunque no fuese un día a trabajar. Además, para mí tampoco es tan necesario trabajar como para que me angustie la pérdida de una jornada. Como ya he dicho, tengo dinero suficiente como para retirarme sin más a ver la vida pasar —o a leer libros, como soñaba con hacer papá cuando se jubilase—. Así que si no iba a trabajar al día siguiente, o durante un par de días, ella dirigiría la editorial sin grandes problemas. A veces pienso que incluso lo haría mejor que yo, que soy un poco desorganizado y tengo una cierta *chispa caótica,* sin duda heredada de los hábitos anárquicos de mi padre. Pero yo necesitaba volver, y urgentemente, a la editorial, o, más que a la editorial, al trabajo, entre otras cosas porque si tenía la cabeza centrada en los asuntos prácticos del día a día no le dedicaría tiempo a mi padre, cuya muerte pesaría durante muchos días en la memoria y en el corazón. Lo que necesitaba era sentarme en mi mesa, abrir el correo y ponerme a trabajar como cualquier otro día, recuperar la rutina y la actividad que durante diez o doce horas al día desempeño allí dentro, completamente feliz. Imagino que en eso soy como él y que soy, al igual que lo era él, un terrible y dichoso adicto al trabajo.

En nuestra editorial solo hacemos libros de viajes. Publicamos muy pocos al año, pero ya nos hemos convertido, y de eso nos sentimos muy orgullosos, en una de las editoriales más importantes de España en la edición de esta clase de libros. Los hacemos de todo tipo: grandes, de bolsillo para los turistas, de esos con muchas fotos espectaculares y carísimos... Y en varias lenguas.

Durante años estuve solo en la editorial, haciéndolo todo yo mismo sin ayuda de nadie. No lo necesitaba, estaba feliz en esa soledad creativa y laboral, en aquella burbuja de papel, fotografías de gran formato y palabras que inventé para mí, para entretenerme. Como he dicho, no editamos muchos libros por temporada y el trabajo, aunque cada año por fortuna va en aumento, tampoco es que nos mate. Publicamos una docena de libros de media al año. No es mucho, pero esa producción nos da para vivir más que de sobra. Es decir: para mantener abierto el negocio, que la empresa no dé pérdidas, pagar la nómina de Celia y dejarme algo de beneficio una vez saldadas todas las facturas. Trabajo en esto por placer porque, como fácilmente se deduce, siendo mi familia propietaria del *Eco,* el dinero nunca fue un problema para mí. Desde luego, que mi empresa fuese un negocio ruinoso (como lo fue los dos primeros años) tampoco me preocupó nunca. A pesar de que sé de sobra que mi madre no me estima en absoluto y que llevamos distanciados muchos años sin posibilidad de arreglo, a pesar de que siempre supe que se desentendía de todo lo que tuviese que ver conmigo o mi vida, la verdad es que nunca me negó lo que ella entiende que es mío, que me corresponde y que sabe que, antes o después, tendré que heredar. Esto es así a pesar de que asume que no seguiré activamente en el negocio cuando ella se muera. Es consciente de eso desde hace décadas y eso explica bastante del porqué de nuestro distanciamiento —solo una *parte,* no todo; esto ya nos pasaba cuando aún era muy pequeño y sabía que mi madre siempre estaba *lejos*—. Pero yo soy Antonio Correa García de Costas, y ese «García de Costas» que está al final de mi nombre, de mi tarjeta profesional, de mi buzón, aunque sea de segundo apellido, ese mismo que aún se ve debajo de la cabecera del periódico para que nadie olvide quién es la familia fundadora y propietaria y todo eso que mi madre no quiere que nadie olvide sobre la titularidad de ese periódico tan importante que todo el mundo respeta en Vigo, ese apellido, digo, y el hecho de que yo sea su hijo, su único hijo, siempre la ha obligado a por lo menos —si algo puede preocupar a la señora Isabel es el qué dirán— tratarme como ella misma consideraba que me merecía. Eso siempre ha sido así, incluso a pesar de ser yo tan ingrato, tan mal hijo, tan mal García de Costas como siempre he sido, según su criterio elitista y decimonónico. A pesar de que desde que era muy joven comencé a mostrar diferencias con ella, siempre hubo una cuenta corriente bien nutrida a mi nombre para que no pasase dificultades. Y al llegar la ruptura definitiva, nada más cumplir dieciocho años, cuando aprobé el examen de Selectividad y decidí que no iba a estudiar Periodismo, como ella esperaba, tampoco me dejó tirado y sin apoyo económico. Pude ir a Santiago a estudiar Filología, en un piso que ellos pagaron religiosamente a mi casera.

En ese momento, el «divorcio» con ella ya era más que absoluto, porque había mil cosas suyas que yo era incapaz de soportar. Su manera de ver el mundo, siempre desde arriba, su forma de tratarme y de tratar a papá y a la gente que trabajaba en casa, siempre como si ella estuviese cinco o seis metros por encima de los demás. Así se sintió siempre. Quizá no debería culparla, fue educada para eso, pero yo no. Yo, gracias a papá, no. Gracias a aquello que mi madre definió tantas veces como «locura» —aquella manera festiva y romántica de entender el mundo que mi padre tenía—, no se me educó del todo de esa forma. Por eso era inevitable la ruptura.

No sé en qué momento de mi vida tomé la decisión de marcharme en cuanto pudiese de aquella casa que no sentía mi hogar, pero tenía que ser muy pequeño cuando lo decidí, pues lo recuerdo de siempre. Así que fue un alivio ir a Santiago.

Fueron cinco años en los que no volví mucho por Vigo, solo en los periodos de vacaciones, en los que resultaba difícil justificar que me quedase en Santiago. Mientras otros compañeros deseaban que llegase el viernes para poder coger el tren y volver a casa, yo les decía a mis padres que tenía exámenes o que debía hacer un trabajo, o cualquier otra excusa que sonase más o menos creíble. Así solo tenía que ir lo imprescindible para vencer la nostalgia y las ganas que sí sentía por ver a papá, a quien siempre necesité a mi lado.

Desde luego, él nunca movió un dedo para que me matriculase en la Facultad de Periodismo, como mamá quería. Sé que ella nunca se lo perdonó. Sabía la influencia que él tenía sobre mí. Y, aunque disfrutaba mucho viendo trabajar a papá, yo no quería que ese fuese mi destino, quizá —¿quién sabe?— por esa actitud que a veces tenemos en la vida de oponernos a lo que otros, es decir, padres y madres, marcan para nosotros. Pero si alguien podía convencerme —sin mucho esfuerzo, la verdad—, ese era papá.

Pero no hizo nada.

Y creo que mi madre lo odió aún más por eso.

6

Celia y yo comemos en el bar de abajo todos los días. En principio, la jornada laboral empieza a las nueve y termina a las cinco... o cuando sea. Lo mejor de mi trabajo, siempre lo digo, es que tiene horarios muy flexibles y que no hay dos días iguales. Para mí eso es muy importante y sé que no soportaría un horario rígido que tuviese que repetir cada día siempre eternamente igual. Tengo amigos que viven así y veo el tedio clavado en sus frentes resignadas. En la editorial tenemos claro que si un día quieres entrar más tarde, o incluso no ir, puedes hacerlo, porque de lo que se trata es de sacar adelante el trabajo y que las cosas estén hechas cuando tengan que estarlo, y si hoy no las puedes hacer, pues no las haces. Pero esa flexibilidad también es lo peor de mi oficio, porque hay días tan llenos de urgencias que no se terminan nunca, precisamente porque no hay una hora de cierre fija. De una oficina te echan, y si te tienes que quedar cobras las horas extras. Aquí no, mientras hay trabajo, trabajamos, y si el trabajo es urgente, no nos vamos hasta que lo terminamos. Yo, desde luego, no obligo a Celia a quedarse hasta tan tarde. Siempre tuve la impresión, desde que empezó a trabajar aquí, de que a ella esto le gusta tanto como a mí. La única vez que intenté sugerirle que no se quedase más tiempo del necesario, que no tenía por qué, o que tendría que ver cómo recompensar ese esfuerzo, me dijo que sobre eso no había nada que hablar y que ella se quedaba porque quería y porque el trabajo había que hacerlo. Y que si algún día se tenía que ir antes o no venir por lo que fuera, pues que ya vería ella cómo solucionarlo. Esa sería su forma de cobrar las horas extraordinarias.

Solemos parar una hora para comer. A veces lo hacemos juntos, otras, o ella o yo bajamos antes o comemos como podemos, siempre en función de las urgencias y de los ritmos de trabajo. Muchas veces salimos cuando ya es de noche, porque hay una reunión con un autor que solo puede venir a las siete, por ejemplo. O porque las pruebas de color de la imprenta no te las traen hasta casi haber terminado el día y tienes que cerrar la edición ya.

—Deberías irte a casa. No me parece bien que el primer día después de lo de tu padre ya te pases aquí tanto tiempo. ¿No te dije ayer que no te quería ver por aquí? Puedo recibir yo al de la imprenta y discutir el presupuesto con él. Como si fuese la primera vez que me tengo que ocupar de todo...

Celia me hablaba desde su mesa, girando la silla para verme. Su tono era serio e incluso algo maternal, o como el de una profesora de primaria riñendo al niño más travieso de la clase. Yo, que estaba concentrado en escoger fotos para un libro, le contesté sin apartar la vista de la pantalla.

—No pasa nada. Me quedaré aquí hasta que venga.

—Pero ¿no estás cansado? Prácticamente no hemos parado en todo el día...

Al oír su pregunta me despatarré sobre la silla, subiendo los brazos para estirar el cuerpo todo lo que podía. Efectivamente, me dolían los lumbares y la nuca y tenía contracturas por toda la espalda después de descansar tan mal y de pasar tantísimas horas sentado. Pero mentí.

—Qué va, estoy muy bien. Quiero hablar con ese tipo y cerrar ya este libro que no se acaba nunca.

Debería haberse cerrado hace dos días y no vamos a llegar a tiempo para entregárselo al cliente como sigamos mareando la perdiz con el tema del presupuesto sin tomar una decisión firme.

Al terminar de decir la frase, me vino a la mente otra vez el motivo por el que aquel trabajo iba con retraso. Hasta aquel instante no había pensado mucho en mi padre en todo el día. Había pasado la jornada bastante bien, concentrado en las cosas que había que atender y sin pensar en nada más que en eso y mis pensamientos se fueron a mi padre muy de vez en cuando. Por ejemplo, durante la comida: informé a Celia de todos los detalles del entierro, incluso hojeamos los periódicos que, en efecto, hablaban del asunto en sus páginas. «¿No te vas a quedar con una copia de esto?», preguntó. «No, no me voy a quedar con ninguna copia».

Sobre las ocho apareció, como había prometido, el comercial de la imprenta. Los tres estudiamos en el mostrador los detalles del presupuesto. A pesar de tener la cabeza algo embotada por el cansancio y de que estaba poco lúcido para centrarme en los números, terminamos con el asunto y, con un ceremonial apretón de manos, cerramos el acuerdo.

—Voy a apagar el ordenador —le dije a Celia cuando el hombre cerró la puerta.

—Yo también, que ya es hora.

Lo apagué y me puse la chaqueta. Miré la hora. Las ocho y media. Tardísimo.

Entonces, oí de la boca de Celia algo parecido a una exclamación. No sabría muy bien cómo describir aquel sonido. No era un grito, sino más bien como un chillido, un agudísimo, aunque terrible, temblor que le salía desde la garganta. Me giré al tiempo que terminaba de ponerme la chaqueta.

—¿Qué te pasa?

—Acaba de llegar un mail.

—Sí, un mail, ¿y qué? ¿Qué pasa con ese mail? —Empecé a caminar hacia ella—. ¿Alguna mala noticia? —dije sonriendo—. ¿Los de la imprenta ya se han arrepentido de lo que firmaron?

—Es un mail... —repitió Celia. Y esta vez la voz le salió aún más temblorosa y atemorizada. Como un presagio. De hecho, no había terminado la frase.

—Sí, un mail, recibimos varios cientos de ellos al día —dije con ironía.

Me acerqué a ella, puse las manos en sus hombros apretándolos ligeramente, con una complicidad fruto de la confianza mutua que teníamos. Sentí su tensión.

Y no era para menos.

—Lo envía tu padre —afirmó.

7

No le tuve que decir a Celia que se levantase para poder sentarme en su silla, cosa que agradecí, porque estaba a punto de caerme al suelo.

—Fíjate.

El mail venía de la dirección: antoniocorrea@mailgratis.com.

El asunto del correo era claro: «Para Toni».

—Pero ¿qué es esto? ¿Cuándo se envió este correo? —dije muy cabreado mientras una corriente eléctrica me subía por la nuca hasta lo más alto de la cabeza, poniéndome de punta los pocos pelos que me quedan.

—Ábrelo.

—No, espera, ¿cuándo se envió? Dime cuándo fue. Puede ser un mail que llega tarde, que por lo que fuera se quedó colgado en el servidor.

Celia contestó poniendo su dedo índice en la parte derecha de la línea del mail, donde aparece el día y la hora en que fue enviado. Contestó de esa manera y mirándome a los ojos, espantada por lo que estaba viendo.

—A las 20:29, es decir, hace solo un minuto —dijo. Y su voz casi no se oía.

—Ya lo veo, hace solo un minuto —repetí. Ella fue hacia mi mesa, cogió mi silla y la llevó a donde yo estaba—. ¿Quién puede ser tan mala persona como para enviarnos esta mierda? —Mi pregunta era obvia. Mi padre estaba muerto y enterrado desde el día anterior. Tenía que ser una broma y detrás de ella, con total seguridad, estaría alguien que era evidente que quería hacerme daño.

—No lo abras.

La propia Celia, que justo antes me había dicho que lo abriese, ahora, como si lo hubiese pensado dos veces, se echaba atrás. Puso su mano sobre la mía, que ya sujetaba el ratón del ordenador, dispuesta a hacer doble clic para leer el mensaje.

—¿Cómo no lo voy a abrir?

—No lo abras, Toni, tienes razón: esto lo envió alguien que quiere hacerte daño. Será una chorrada. Cualquier imbécil, cualquier idiota que ahora quiere herirte aprovechando la situación. No lo abras, no tienes por qué pasar un mal trago. Venga, bórralo sin más. Bórralo y olvidémonos de esto. Venga, bórralo y nos vamos a tomar unas cañas por ahí y a reírnos juntos.

Al igual que su voz, Celia temblaba.

Probablemente lo mejor era hacerle caso y eliminar el mensaje sin abrirlo. Los periódicos hablaban de la muerte de mi padre y no era absurdo pensar que a cualquier tarado le diese por hacerse una cuenta gratuita con su nombre y enviarme el correo electrónico.

Pero eso no fue lo que hice.

Giré la mano, de forma que nuestras palmas se tocaron. Entrelacé mis dedos con los suyos. Volví a notar el calor que desprendía su piel, siempre tan agradable.

—Venga, tranquila. Vamos a ver lo que hay escrito y punto. Igual nos reímos y todo. —Ella tenía los ojos muy abiertos, estaba claramente asustada—. Y luego nos vamos a tomar esas cañas por ahí.

Ni yo me creía lo que acababa de decir.

Nos soltamos. Di doble clic.

«Hijo querido: tienes hasta las diez».

Hijo querido: tienes hasta las diez.

—Pero ¿qué es eso?

—¿Y yo qué sé? —respondí sin poder apartar los ojos de la pantalla. Arrastré el puntero del cursor al botón de Windows y apagué el ordenador de Celia—. Venga. No perdamos más tiempo con esto, hay muchos locos por ahí. Ya era lo que faltaba, rompernos la cabeza atendiendo al primer idiota que aparezca dispuesto a tocarnos las narices a los demás. Venga, nos vamos, que hoy ya hemos trabajado demasiado.

Solté la última frase a la vez que me ponía en pie sin dejar de sonreír. Aunque, como antes, ni siquiera yo me creía demasiado las palabras que acababa de pronunciar. Ella salió de detrás del mostrador para coger un abrigo. Me fijé entonces en sus zapatos azules y en la gracia con la que hacía un nudo a la bufanda. Llevaba un pantalón negro y un jersey azul a juego con los zapatos y las gafas, de pasta igualmente azul. Por debajo de las muñecas se le veían las mangas de la blusa blanca.

—¿Has traído el coche o vas andando?

Por un momento estuve tentado de recordarle lo que habíamos hablado sobre ir a tomar algo. Pero la pregunta dejaba claro que volvía a casa.

A veces, y a pesar de que vivo en la otra punta de la ciudad, voy y vengo a pie cruzando Coruña, desde casa al trabajo y vuelta. Me gusta hacerlo por el paseo Marítimo, incluso en los días de frío y lluvia como este. Es agradable sentir la bravura del mar, la brutalidad de las olas al romper contra la orilla o contra las rocas. Para mí es la mejor forma de despertar, pero cuando el clima es brutal o si intuyo que voy a salir muy tarde, suelo llevar coche...

—No he traído el coche —contesté.

Me puse el abrigo y apagué las luces cuando ella abrió la puerta. Como no había luz en el pasillo, se podría decir que estábamos casi a oscuras en aquel preciso instante —es una planta de oficinas y a esas horas ya estaban más que vacías—. A pesar de la escasa luz, pude apreciar la belleza de su pelo recogido por arriba, justo cuando se ponía la boina roja que tan bien le sienta.

—Bueno, me voy —dijo—, que está ahí el ascensor.

Y, en efecto, se fue.

Salí al frío de la noche coruñesa, ya muy avanzada a esas horas del invierno. El Atlántico, como siempre, rugía con fiereza y agradecí no haber traído el coche. Tenía que caminar algo más de media hora hasta llegar a casa. Por suerte no llovía, así que fui andando, sin darme cuenta, pero más despacio que de costumbre, dándole vueltas y vueltas a aquellas palabras que, aunque creía que eran una tontería, no dejaban de rebotarme en la cabeza una y otra vez. Aquel «Hijo querido» que abría el mail ya era como para dar que pensar. Por lo menos a mí. No a cualquier otro, pero sí a mí. Porque tengo cientos de mails en mi ordenador enviados por mi padre que empiezan justo así, con un «Hijo querido» como su saludo más típico. No todos, claro, pero sí una gran parte de ellos, la mayor parte, pues era una fórmula que a él le gustaba mucho. Era su manera de dirigirse a mí de forma privada y personal.

Y además estaba aquella otra cuestión..., ¿qué era eso de «Tienes hasta las diez»?

9

Hijo querido: tienes hasta las diez.

Entré en casa.

Me quité el abrigo.

Me di una ducha rápida y cené algo mirando la tele sin verla.

Cinco minutos antes de las diez encendí el ordenador.

Tengo hasta las diez ¿para qué?

Me quedé quieto, observando la bandeja de entrada, esperando que de un momento a otro entrase un nuevo correo enviado por mi padre. Por ese mismo padre muerto y enterrado.

Las diez en punto.

El momento exacto en el que mis oídos aterrados oyeron un aviso metálico que anunciaba la llegada de un nuevo mail.

Y sí, claro que sí, era de papá.

10

No tenía asunto y había sido enviado desde la misma cuenta que el anterior.

«Hijo querido: ¿voy a tener que ayudarte en todo? ¿No habíamos quedado en que tenías hasta las diez? ¡¡¡Si hubieses solucionado el enigma ya tendrías la chocolatina en la boca!!!».

Sentí que se me ponían de punta todos los pelos del cuerpo. A pesar de que estaba esperando un mail de mi padre —sí, lo estaba esperando, claro que lo esperaba—, a pesar de que de alguna forma estaba convencido de que me llegarían algunas palabras enviadas por él, o por quien se estuviese haciendo pasar por él, que apareciesen esas palabras *en concreto*, escritas así, refiriéndose a eso *en concreto*, a la chocolatina, me provocó el susto más grande de toda mi vida. De un salto empujé con los pies hacia atrás la silla con ruedas que tengo en el despacho de casa y sobre la que estaba sentado, como para alejarme lo más rápido posible de aquella pantalla que me abría de par en par la puerta más oscura del infierno.

Porque allí, mi padre, o quien se estuviese haciendo pasar por él, hablaba con total naturalidad de las chocolatinas. Y eso sí que daba miedo.

Ya lo conté antes: así era como mi padre me recompensaba cuando resolvía los enigmas que él me ponía. Que había una chocolatina como premio SOLO lo sabíamos nosotros dos. Era algo que hacía conmigo y solo conmigo, y nadie más que nosotros lo sabía. Aquel cajón de su mesa, siempre lleno de chocolatinas, estaba así para mí y era parte de un juego infantil que nos llenó de felicidad durante años y algo que nunca había contado a nadie. Ni siquiera a Celia.

Así que quien estuviese montando esto sabía mucho sobre mí y sobre mi padre.

Pero ¿quién?

¿Mi padre?

Decidí detener aquella locura —ahora, ya de pie, desde la puerta del despacho, todavía lejos del ordenador—, repitiéndome aquella obviedad de que yo soy una persona racional y que una persona racional no puede creer en tonterías como esa. Fue él precisamente quien me enseñó a entender así las cosas, a no dar nada por cierto sin haberlo comprobado antes. Él siempre repetía que para todo hay una explicación aunque tardemos siglos en encontrarla.

Pero era todo tan claro..., tan evidente..., tan misteriosamente lógico...

Que, entonces, *era*.

Aunque *no pudiese ser*.

Así que a pesar de la lógica y la racionalidad y del sentido común y de todo lo que se supone que un hombre adulto y maduro como yo era capaz de manejar dentro de su cabeza, sin querer —o queriendo— empecé a creer posible que *era*, que quien se comunicaba conmigo era él.

En el mail me decía que no había acertado la solución del enigma.

Pero ¿a qué enigma se refería?

Cuando era niño las cosas eran más sencillas. Recuerdo sus preguntas mucho más directas. Porque él sabía cómo preguntarme para que yo supiese lo que tenía que buscar. Pero ahora ni siquiera había una pregunta en sentido estricto formulada en ninguna parte.

¿Qué era lo que tenía que buscar?

Entré en Facebook. Celia estaba conectada. La saludé en el chat.

—He recibido otro mail.

—¿¿¿Qué???

Aquellas tres interrogaciones eran su manera de dejarme claro que sabía —y que le aterraba— lo que acababa de decirle.

—He recibido otro mail de mi padre.

—Pero ¡¡¡por favor!!! Quien sea que está haciendo esto está muy mal de la cabeza y es un fulano muy chungo. Mañana hablamos y me lo cuentas todo punto por punto. Pero prométeme que te vas a olvidar de eso. Prométeme que no le vas a dar importancia a un mamón como ese. ¡PROMÉTEMELO!

Contesté con el icono ese que usamos para sonreír en Facebook y añadí:

—Ya sé que no tiene importancia, no te preocupes.

Pero mentía.

Claro que tenía importancia.

Muchísima importancia.

Si no la tuviese no le daría a «Responder mail».

No podía escribir otra cosa.

Una única palabra que era una pregunta y una botella lanzada al mar del náufrago desesperado que era yo en aquel preciso instante.

«¿Papá?».

Antes de que hubiesen pasado diez segundos, entró un mensaje nuevo diciendo que el mail no había sido entregado y que venía de vuelta.

Que esa dirección de correo electrónico no existía.

11

Moviéndome con una lentitud extrema, como si todo mi cuerpo pesara una barbaridad o como si temiese despertar a una persona dormida que, obviamente, no había en esa casa de soltero en la que vivo, llegué hasta el ordenador para volver a redactar el mismo mensaje y enviarlo otra vez al mismo correo. Y, de nuevo, pasados pocos segundos, regresó con el mismo mensaje avisando de que esa dirección de correo no existía, aunque yo tenía un correo, mejor dicho, dos, contando el de la editorial, de esa dirección de correo electrónico que la testaruda informática insistía en decirme que no existía....

Apagué el ordenador.

Quien me enviaba aquellos mails tenía la capacidad de no dejar huella. Era capaz de activar esa cuenta y, un segundo y medio después, desactivarla para que yo no pudiese comunicarme con él. Era fácil concluir que probablemente eso era lo propio de los fantasmas, hacer ese tipo de brujería como tantas veces había visto en infinidad de películas y había leído en tantos libros.

Los libros...

Con la misma lentitud con la que me había alejado del ordenador, me encaminé hacia el salón.

Allí, como en nuestra casa familiar, como en el despacho de papá, viven cientos y cientos de libros ordenados de cualquier forma, en varias filas por estante. Hay tantos que ya no hay sitio para más.

Tuve la impresión, por esas benditas intuiciones que a veces tiene la mente, de que la solución al enigma de las diez tenía que estar dentro de un libro.

Porque si el enigma venía de mi padre, la solución tenía que estar escondida en un libro.

No perdía nada por probar.

Así que me planté allí, delante de todos ellos, como si esperase —y de hecho así era— que me hablasen y me indicasen por dónde tirar, con los ojos fijos en los estantes, mirando para todos y para ninguno en concreto, pasando lentamente la mirada por encima de los lomos sin pararme a leer siquiera los títulos.

Viendo sin mirar.

Mirando sin ver.

Y solo cuatro palabras repitiéndose dentro de mi cabeza: *Tienes hasta las diez.*

Me habría gustado vivir con alguien solo para que pudiese oír mi grito de triunfo:

—Pues ¡claro que sí! ¡¡¡Eso es de *La isla del tesoro!!!* —Lo recordé con absoluta claridad—. Eso es la Marca Negra.

Aún tardé en encontrar ese libro de Stevenson y, mientras buscaba y cogía una silla para subirme en ella, los pensamientos se me iban ordenando solos y, sintiendo la misma felicidad que cuando era un niño y jugaba con mi padre a esas cosas, la solución a este enigma que ahora me presentaba aparecía sola poco a poco.

Recordé que en la novela —una de las que más le gustaba a papá— había dos momentos, justo al principio y al final, en los que dos piratas, Bones y el capitán Flint, recibían la Marca Negra, un círculo negro dibujado en un papel que en el código de honor de los piratas se utilizaba para comunicarle a quien se la daban que habían decidido quitarlo de en medio, eliminarlo, tirarlo por la borda, pasarlo a cuchillo o cualquiera de las otras muchas y creativas fórmulas que los piratas empleaban cuando querían ejecutar a alguien. El modo «formal» de avisar al elegido era poniéndole en las manos la Marca Negra. Y cuando lo hacían, nos contaba Stevenson, se les daba también un plazo. O cumplían lo que tuviesen pendiente con los piratas antes de una hora determinada o serían tratados según la sanguinaria justicia de los Hombres Libres del Mar —a papá le encantaba referirse así a los piratas—. Y eso es lo que pasaba en la mítica novela de Stevenson. Al capitán Flint le daban tiempo hasta las diez. El capitán Flint recibía la Marca Negra de uno de sus camaradas piratas, no recordaba cuál era, uno de los más feos, uno de los más temerarios o de los más inconscientes, que se acercaba a él en representación de los otros, cansados de que no apareciese el tesoro deseado a pesar de los días que ya llevaban en la isla sufriendo cientos de peligros y cavando sin éxito en mil lugares diferentes. De esa manera, quedaba oficialmente avisado: o aparecía el tesoro antes de las diez o Flint moriría a manos de los otros. Así lo hacían los piratas.

En la novela, cuando Flint abría la mano, encontraba un papel en el que se había escrito el aviso y la sentencia: «Tienes hasta las diez».

Esa era la Marca Negra para Flint. Y las diez, el plazo máximo.

Como mi padre me había dicho en el primero de los mails.

Me bajé de la silla y me senté para pasar las páginas del libro muy despacio, muy atento a cada párrafo, hasta que encontré, varias horas después y casi al final de la historia, la cita buscada.

Me senté con el libro abierto en el sofá para leer una y otra vez aquella cita. Incluso leí el capítulo entero para ver si había algo más que me llevase a pensar en algo interesante... Pero no encontré nada que me llamase especialmente la atención.

Al acostarme, recordé que mi padre tenía en los estantes de su despacho otro ejemplar del libro.

Ese tenía que ser.

Y así, a primera hora de la mañana —y después de comprobar mi correo, en el que no había ningún mail de papá—, bajé al garaje para coger el coche y acercarme hasta su despacho en el periódico.

12

Ni me enteré del trayecto por la autopista entre Coruña y Vigo. Y eso que en general, y por la cantidad de veces que me toca hacerlo por trabajo o cuando *me escapaba* a Santiago para quedar con mi padre, suelo odiarla y el viaje se me suele hacer eterno. No me gusta conducir y es algo que hago, como tanta gente, porque no me queda otro remedio. Pero esta vez iba relajado y contento a pesar de que no había pegado ojo y de que ya iban tres días seguidos sin apenas descansar.

Ayudó a que el trayecto se me hiciese ligero que me pasé buena parte del viaje hablando con Celia. Llevaba desde primera hora en el trabajo, cumpliendo con el horario, como siempre. La llamé sobre las nueve y media, y creo que lo hice tan tarde para tener tiempo de avanzar la máxima cantidad posible de kilómetros en la autopista para que, cuando hablásemos, le quedase claro que ya no había vuelta atrás. La imaginaba llevándose las manos a la cabeza, y eso hizo cuando le dije que estaba de camino a Vigo y que iba al despacho de mi padre.

No quise ser cruel y le aclaré, como pude, lo que pensaba. Empecé por explicarle el significado —o por lo menos lo que yo creía que era el significado— de aquel primer mail en el que me decía que tenía «hasta las diez» y cómo me había confundido al pensar que se refería a las diez del reloj cuando en realidad lo que él quería era que mirase en *La isla del tesoro.*

—Vale, no puedo discutirte eso, pero ¿y el segundo mail? ¿Te vas a creer lo que dice? —Su tono tenía un deje de alarma—. ¿Te vas a tomar en serio esa idea de que el fantasma de tu padre te escribe desde el otro mundo? ¿Que como no has logrado solucionar el enigma te escribe dos veces para que te des prisa? —Después de eso suspiró, cansada—. Toni, hazme caso. Para y vuelve. Estás llevando esto demasiado lejos. Es obvio que algún imbécil te está tomando el pelo. Es increíble que no lo veas. Por supuesto que no sé cómo sabe lo de las chocolatinas, ni lo de Stevenson o Verne o quien sea.

—Stevenson —la interrumpí.

—Vale, pues ese. Pero tu padre no puede ser, ¡por favor, piensa un poco!

Ya estaba pasando el peaje de Vigo, el último de los tres que hay antes de entrar a la ciudad.

Por supuesto que entendía que todo lo que ella me decía era de sentido común y que lo que estaba haciendo no tenía ninguna lógica. Así que le contesté lo único que podía responder en semejante situación:

—Claro que sé que los mails no los envió mi padre. —Su silencio me hizo pensar que se había cortado la comunicación, como pasa tantas veces cuando llevamos el móvil encendido en el coche—. ¿Sigues ahí?

—Sigo aquí.

—Sé de sobra que los muertos no escriben correos electrónicos. No estoy tan loco como piensas.

—Y, entonces, ¿qué demonios estás haciendo ahí? —protestó.

Vigo me iba mostrando a mi derecha su cara más bonita. La ría de Vigo, la misma que papá veía desde su despacho, y yo con él, aparecía gris con un mar picado que daba miedo, pues se avecinaba un temporal a pesar de la protección siempre amable de las islas Cíes, con toda su fuerza reclamando atención y exigiendo respeto. Reduje la velocidad, pues ya estaba cerca de la salida que tenía que coger para ir al periódico. Sabía que a nadie le iba a resultar extraña mi visita. Al fin y al cabo, soy el hijo de Antonio Correa, me conocían todos de toda la vida y era, sobre todo, el hijo de la propietaria de la cabecera del periódico. Todos los trabajadores sabían que yo era el hombre llamado, llegado el momento —cuando mamá se muriese—, a presidir el Consejo de Administración de la empresa editora del diario. Si alguien me preguntaba —aunque era improbable— qué hacía allí, diría que iba a recoger —y era cierto— algunas de las cosas de mi padre antes de que el nuevo director o directora viniese a ocupar su despacho.

—Tengo claro que él está muerto y bien muerto. Entiendo que estés preocupada por mí, pero no he perdido el juicio hasta el punto que imaginas. Ya sé que él no fue quien me envió esos dos mails —hice una pausa para encontrar las palabras más adecuadas para aclarar algo que me resultaba difícil de explicar—, pero creo que de alguna forma sí que fue él.

Celia tardó unos segundos en responder. Era normal. Lo que le estaba diciendo resultaba difícil de entender incluso para mí, que era quien había dicho, con un tono de seguridad algo artificial, aquellas palabras. Puse el intermitente y entré en las instalaciones del periódico. Aparqué el coche en la plaza que mi padre tenía reservada como director.

—¿Cómo que de alguna forma...?

Apagué el coche. Quité el manos libres. Puse el móvil en la oreja.

—¿Me oyes mejor ahora?

—Sí, mejor ahora. Contesta: ¿qué quiere decir eso de que piensas que de alguna forma es tu padre quien te envía los mails?

Mientras empezaba a caminar hacia el edificio, contesté:

—Creo que mi padre sabía que iba a morir. Tengo la teoría, una noche de insomnio da para mucho, de que sabía que iba a morir de repente, o por lo menos que le quedaba muy poco tiempo y por eso creo que dejó todo preparado para que empezase todo esto en cuanto él hubiese muerto. Él no me los envía, está claro, está muerto, pero sí que los envía, como te digo, de alguna forma. Igual lo hace a través de una máquina programada o con ayuda de alguien.

Dije eso, que no me creía del todo, y entré en el ascensor.

Por suerte, a esas horas de la mañana aún no había nadie en la Redacción, así que me alegré de madrugar tanto. En general, antes de las once y media o las doce las redacciones de los periódicos suelen ser lugares vacíos, salvo para el personal de limpieza y el de administración. Celebré que fuese así, porque si me hubiese encontrado con cualquiera de los periodistas, además de tener que soportar de nuevo la batería de pésames y frases de dolor, debería haber explicado a qué iba y qué venía a recoger. No sería extraño entonces que cualquiera entrase conmigo en el despacho, aunque solo fuese con la buena intención de ayudarme.

Lo que necesitaba era calma y soledad para encontrar, entre los centenares de libros que mi padre tenía en el despacho, aquella edición tan vieja, encuadernada en tapa dura, de *La isla del tesoro.*

Una de sus joyas más amadas.

Un libro que puso en mis manos cientos de veces.

Como ahora, desde el otro mundo, hacía de nuevo.

O eso creía yo.

Lo que no sabía era que aquel libro, como la Marca Negra que los piratas habían puesto en las desafortunadas manos del pobre capitán Flint, me iba a cambiar la vida para siempre.

13

No fue complicado encontrarlo.

Era como si estuviese esperándome.

Era como si mi padre lo hubiese preparado todo para mí.

Porque el lomo del libro sobresalía hacia fuera, justo ante mis ojos.

Imposible no encontrarlo.

Encima de su silla de director.

Imposible no encontrarlo.

Justo encima de lo que sería su cabeza si él estuviese allí sentado esperándome.

Imposible no encontrarlo.

No podía ser algo casual.

Estaba claro que lo había dejado así antes de morir.

O que alguien, cuando él murió, entró en su despacho y lo colocó justamente así, sacándolo un poco hacia fuera, para que yo lo encontrase a la primera, porque sabía que descubriría el significado del enigma propuesto en el mail.

Me acerqué y me estiré para cogerlo, pero no pude, estaba demasiado alto. Tendría que subirme a la pequeña escalera de tres peldaños, aquella que tantas veces había utilizado durante mi infancia.

Aparté su silla. Al hacerlo me invadió una extraña sensación, como si alguien más estuviese allí conmigo.

Sé que parecerá estúpido, pero dije «papá», con tono interrogativo y lleno de convicción.

Evidentemente no me contestó.

¿Cómo iba a hacerlo si estaba muerto?

Cogí la escalera y me acerqué hasta el libro.

Lo saqué y detrás apareció una caja.

Una caja de zapatos. De cartón.

Al principio no me atreví a tocarla.

Extraje el libro y lo posé sobre la mesa de papá.

Separé el resto de los volúmenes para estudiar la caja con más calma. Sobre ella había un papel cuadriculado, probablemente de una libreta como las que usaba él, al igual que tantos otros periodistas, para hacer sus anotaciones de trabajo.

Y escrita a máquina, con la letra de aquella antigua Underwood que utilizó durante toda su vida y que sigue en el salón de la casa de mis padres, había una frase que era una felicitación, o tal vez una sentencia:

«Aquí está (casi) la chocolatina prometida».

14

Me senté con la caja en una mano, intentando agarrarla con la poca energía que me quedaba, pues sentía que se me marchaba toda en cada latido. En la otra llevaba el corazón a punto de explotar. El libro, mientras, esperaba sobre la mesa. Ahora no me importaba tanto el libro, a pesar de que había sido lo que me había hecho llegar hasta allí; en realidad no me importaba nada. Lo que ocupaba toda mi atención era una caja de zapatos que pesaba lo suficiente como para saber que dentro no había, precisamente, zapatos. De alguna forma sabía que contenía un mundo. Un universo nuevo. Algo que lo cambiaría todo para siempre. Y no sé explicar por qué sé que lo sabía. Solo sé que entendía que todo iba a ser diferente para siempre una vez que abriese la caja y se me revelase su contenido. Para eso quería mi padre traerme hasta allí. El libro solo había sido un cebo que me había puesto, como cuando era niño y jugaba a despistarme, para hacerme llegar a aquella caja que él había guardado, precisamente, detrás del volumen de Stevenson donde estaba la cita.

Eso era lo que pensaba mientras me daba cuenta de lo retorcido que era que mi padre hubiese planeado todo aquello. ¿No le hubiese resultado mucho más fácil, fuese lo que fuese aquello que tenía que contarme o revelarme, hacerlo directamente en una conversación con un café por medio? ¿O es que tal vez lo que quería mostrarme era tan delicado que era mejor que yo no lo supiera mientras él estaba vivo?

Mientras le daba vueltas a la cabeza pensando en estas cosas, comprendí que no tenía mucho sentido que me hiciese tantas preguntas para las que, al menos en aquel momento, no podía tener ninguna clase de respuesta.

Abrí la caja aguantando la respiración y sintiendo cómo el corazón me martilleaba en las sienes. Antes de hacerlo por completo —está claro que lo que quería era demorar lo máximo posible la apertura, temeroso de lo que pudiese aparecer allí— sacudí enérgicamente con la palma de la mano el polvo que se había acumulado encima y que dejaba claro que llevaba allí mucho tiempo.

Me quité la gabardina y la posé en el respaldo de la silla de papá. Volví a mirar el libro.

Abrí la caja y lo que encontré fue una carpeta de plástico transparente, de esas en las que metemos documentos o incluso los trabajos del colegio.

Dentro había un montón de fotos que fui sacando y procurando que no se desordenasen al ponerlas fuera. Imaginé que papá quería que las fuese descubriendo exactamente en el orden en que me las había dejado dispuestas. Y mi suposición tenía su lógica, pues eran fotos en blanco y negro, al menos las primeras; luego ya no. Y en efecto, al ordenarlas así ofrecían una especie de viaje en el tiempo. Primero, blanco y negro; luego, las primeras en color, aquellas típicas de las máquinas Polaroid que usaban el sistema *instamatic*; esas viejas cámaras que tenían unas ranuras por las que salía inmediatamente la foto y que se iba revelando ante nosotros. Entonces tenían un color opaco, muy propio de finales de los años sesenta o principios de los setenta del siglo pasado. Después el color mejoraba gradualmente hasta llegar a otras claramente contemporáneas. De hecho, en algunas se veía a mi padre casi en la actualidad.

Salía prácticamente en todas.

Y en todas con una mujer que no era mi madre.

Lo dejé todo en la mesa para levantarme y sacar de la chaqueta un ibuprofeno —que siempre llevo conmigo—. Comenzaba a dolerme la cabeza y era mejor tomar medidas cuanto antes. Así que fui a la máquina que hay en la Redacción para coger un poco de agua y poder tragar la pastilla.

Lo que acababa de descubrir era escalofriante. Y no solo por las implicaciones, digamos, morales que tenía. Esas no me preocupaban lo más mínimo. Siempre supe que mi padre no era feliz con mi madre. Algo absolutamente lógico, por otro lado. Creo que nadie podría ser feliz con una mujer como ella. Así que la idea de que estuviese con otra, y durante muchos años, como llevaba a pensar la existencia de todas esas fotos de tantas épocas distintas, era casi una idea bonita. Al parecer mi padre había vivido una historia de amor. Y eso de alguna manera me alegraba.

Lo terrible era saberlo ahora y de esta forma tan retorcida.

15

Todas las fotos se centraban en la cara y en el cuerpo de una mujer. La misma mujer que se repetiría en todas, siempre la misma, no mujeres diferentes a lo largo de épocas diferentes: desde el blanco y negro hasta las fotos en color. La vi envejecer, madurar, arrugarse. Me esforcé, antes de pretender entender nada más, en buscar alguna referencia en mi memoria que me permitiese adivinar quién era; pero no lo conseguí. Definitivamente, nunca en mi vida la había visto. Nunca. Ni con papá ni sola.

En la primera foto se encontraban, o eso parecía, en la cubierta de un barco. Aparecían apoyados sobre una especie de barandilla y detrás se veía el mar. Pensé que tal vez sería un yate o un embarcadero o algo así. Papá —eso era lo más sorprendente de aquella primera foto— la agarraba por la cintura con confianza y seguridad, posando ante la cámara con arrogancia —y eso era extrañísimo, pues semejante actitud confiada lo ponía en una situación peligrosa de una forma evidente: por los años que aparentaba, cuando se sacó esa foto ya estaba casado con mamá, y además no hacía mucho—. La mujer a la que papá asía por la cintura se mostraba seria, pero con una seriedad estudiada, la expresión serena de quien sabe situarse delante de una cámara y que está acostumbrada a ser retratada. Unas gafas de sol muy del estilo de las actrices de Hollywood de los años cincuenta le cubrían los ojos. Papá, como he dicho, sonreía a la cámara, lo que quería decir, ante todo y antes de meternos en otros temas, digamos, más *graves* —esa mano agarrándola por la cintura...—, que la foto estaba hecha por alguien en quien tenían mucha confianza, por alguien *cómplice* de aquella situación absolutamente clandestina. Así pues, no parecía que esa foto hubiese sido tomada en Vigo, pues mi padre era un hombre muy conocido y no se podía exhibir con una amante así como así. Otra posibilidad era imaginar que el fotógrafo ignoraba quién era mi padre en el momento de tomar la imagen.

Todas las fotos eran más o menos del mismo estilo. Retratos de los dos en distintas actitudes, casi siempre cariñosas: cogidos de la mano, paseando por la playa, sentados sobre una especie de trapo en un monte comiendo; papá siempre sonriendo, siempre, como posando, como —quise pensar— si fuera consciente (de ahí su alegría) de que algún día alguien atónito (yo) encontraría aquellas fotografías.

En total había unas treinta fotos, y todas de ese estilo. Era como si me hubiese dejado preparado una especie de resumen, en imágenes, organizadas cronológicamente, de lo que quedaba claro que había sido una relación de muchos años. En la última, la que cerraba aquella colección de instantáneas sorprendentes e inesperadas, se les veía muy juntos y mirando hacia la cámara, ella con las manos por detrás de su cintura y él abrazándola muy fuerte, los dos de perfil, muy acaramelados. Por el aspecto de mi padre podría ser incluso de la semana pasada.

Y eso era todo.

Subí de nuevo a la escalera de tres peldaños, justo donde se hallaba el hueco que habían dejado el libro de Stevenson y la caja.

—¿Buscas algo?

Casi me caí del susto.

Quien me hacía la pregunta era una mujer joven, sin duda una de las periodistas que llevarían menos tiempo trabajando en el periódico. Me hablaba desde la puerta y con cara de no saber quién era yo. Yo, desde luego, no la conocía.

Bajé, me presenté y le di dos besos. Dijo que se llamaba Mari. Le expliqué que estaba buscando algunas cosas de mi padre para llevármelas por partes y que como era un hombre tan despistado, a veces se le caían cosas por los estantes y no las recogía.

Me dio la impresión de que le valía aquella explicación, que por otro lado era por completo absurda porque, aun admitiendo que se le cayesen cosas habitualmente —de hecho pasaba así: ¡cuánto dinero que se le caía del pantalón conseguí de entre los cojines del sofá donde se quedaba dormido a veces!—, estaba claro que allí arriba no se le podía haber caído nada. En cualquier caso sirvió para que me dejase solo de nuevo en el despacho. Ella se marchó para su mesa de trabajo.

No volví a subir. Sabía que allí no había nada más. Y lo sabía porque la pista que había recibido no llevaba a pensar nada más. El juego siempre era así. Me guiaba de aquí para allá, a su voluntad, y yo me iba encontrando pequeñas piezas que, unidas, le darían sentido al rompecabezas.

Así lo hizo cuando yo era un niño de pantalones cortos. Así lo estaba haciendo ahora.

Metí las fotos dentro de la caja. Me la llevaría junto con el libro. Y avisaría de que volvería a buscar más cosas suyas otro día porque ya intuía que aquel viaje a su despacho iba a ser el primero de muchos. Del mismo modo que sabía que haría esas visitas cuando él quisiera y no antes.

De este primer viaje ya volvía con un patrimonio enorme: por una parte, la sorpresa inmensa de descubrir esa doble vida de papá con una enigmática y hermosa mujer de la que por ahora no sabía nada; por otra, el libro y la nota.

Me puse la chaqueta y al hacerlo rocé el móvil que, como si estuviese esperando ese contacto involuntario para despertarse, sonó en ese preciso instante.

Era Celia.

—Hola, Toni. —Su saludo ya fue un presagio. Sentí temblar su voz. Alguna forma de pavor que se anunciaba incluso antes de aparecer. Pero no me sorprendió lo que dijo—. Ha llegado otro mail.

Me senté.

—¿Lo envía mi padre?

Celia guardó silencio durante un par de segundos.

—¡Pues claro que no! ¡Lo envía ese hijo de mala madre que se está haciendo pasar por tu padre! Esto ya es para llamar a la policía. ¿Quieres que la llame? ¿Quieres que lo haga?

Procuré que mi tono de voz sonase tranquilizador para decirle que no. Le pedí que se calmase, que acababa de realizar un descubrimiento crucial que le contaría por la tarde.

Y le dije lo más importante de todo:

—¿Me dejarías invitarte a comer?

Pero fue como si no me hubiese oído.

—¿Qué me vas a contar? ¿Que tu padre está vivo y que te manda correos desde el otro barrio? ¡Por favor, Toni! ¿Has perdido el juicio? ¿Qué me estás pidiendo ahora? ¿Lo normal no sería que me pidieses que te leyese el mail?

Le rogué una vez más que se calmase, que ya hablaríamos durante la comida, y que me leyese el mail, que tenía razón. La oí suspirar, resignada.

—Te lo leo. Viene de la misma dirección que la otra vez: «Felicidades, hijo. Encontraste la caja. Ahora ya puedes coger la chocolatina y no te olvides de entrar en el libro».

Hizo una pausa, como esperando que yo dijese algo, pero ya no podía decir nada. ¿Qué podría decir? Me levanté, como un idiota, y abrí la puerta del despacho. La periodista apartó los ojos de la pantalla para dedicarme una sonrisa que yo no correspondí, pues, atontado, miraba para todas partes intentando encontrar a alguien —¿¿¿a mi padre??? —, a ese alguien que *acababa de comprobar* que había dado con el libro hacía solo unos minutos y, por lo tanto, que sabía que tenía que enviarme el correo *justo ahora,* no antes ni mañana ni después, sino *justo ahora* que acababa de hacer aquel descubrimiento.

¿Era realmente mi padre desde el otro mundo aquel fantasma cibernético que me escribía y me felicitaba?

—¿Sigues ahí, Toni?

Entré otra vez en el despacho.

—Sigo aquí.

Insistí en que mejor hablábamos durante la comida, si finalmente aceptaba mi invitación —«que sí, claro que sí»—, que tenía algo muy importante que decirle que arrojaría un poco de luz sobre todo esto.

No me lo creía ni yo.

—Pero ¿qué es eso de la chocolatina?

—Ya te lo explicaré, no te preocupes. Hablamos más tarde.

Mis ojos se fueron al cajón de en medio de su mesa. Allí estuvieron siempre las chocolatinas. Allí vivía el tesoro, toda la vida en el mismo lugar. Chucherías que sacaba para mí como premio, o porque sí, porque le apetecía, para comernos unas cuantas por pura glotonería.

La persona que suplantaba la identidad de mi padre sabía que ya había encontrado el libro —justo ahora— y la caja —justo ahora— y que —justo ahora— quería que cogiese mi premio. Lo sabía, y lo sabía justo ahora. El mail no había sido enviado al azar para que llegase en cualquier momento del día o de la noche, cuando coincidiera. En absoluto. Había sido enviado en el momento exacto en el que había conseguido completar el paso, solucionar el reto, aclarar la adivinanza propuesta por mi padre. Y todo en horas de oficina, claro, para garantizar que Celia, en el ordenador de la editorial, lo recibiese.

Él, papá, quien le ayude con todo esto..., quien sea, me decía que entrase en el libro —ni idea de lo que podía significar eso— y que podía coger la chocolatina, que podía abrir —*que debía abrir*— el cajón y coger una como premio, como cuando era un niño...

Pero yo sabía, y no me equivocaba, que no había ninguna chocolatina allí dentro.

16

Cuando abrimos ciertos cajones ya sabemos si contienen algo en su interior o no, por su peso, por el trabajo que nos cuesta abrirlos o por la facilidad o la resistencia que nos ofrecen. Un cajón lleno pesa, y por muy bien engrasadas que estén las ruedas que nos permiten abrirlo, lo hace con más dificultad que si estuviese vacío. Y mi brazo recordaba cómo se abría ese cajón. Él compraba cajas enteras y, digamos, el «surtidor de chocolate» siempre estaba lleno. Hoy no les dejamos comer a los chiquillos tantas chucherías como las que yo comí en aquellos primeros años dulces de mi vida. Que si las caries o la alimentación sana y equilibrada y no sé qué más cosas. Mi padre nunca se preocupó por eso, y lo cierto es que tengo la dentadura en un estado excelente. A mí me gusta decir que es por haber comido tanto chocolate de niño, aunque seguro que eso es una tontada sin fundamento. Y esta pasión por el chocolate, que mantengo con devoción y constancia, viene sin duda de esa época feliz, de aquel tiempo en el que a media tarde, antes de ir a la Redacción, me llevaba a Bonilla, la churrería más famosa de Vigo, a zamparme una taza de chocolate caliente, espesísimo, con los churros más ricos que nunca comí ni volveré a comer.

Él me contaba siempre la vergüenza que le hacía pasar cuando, al ver llegar al camarero con toda aquella maravilla, comenzaba a dar palmadas de entusiasmo y a gritar de alegría.

La felicidad de la infancia, por lo menos para mí, lleva el sabor rotundo del chocolate con churros.

Papá compraba cajas grandes. Para él y para mí. Yo me entretenía poniéndolas una sobre las otras, tan rectangulares, tan brillantes, tan apetecibles, en filas perfectamente ordenadas, cada una esperando el momento para ser comida. Después, cuando ya quedaban pocas, daba la alerta a papá y él se encargaba de que el cajón volviese a estar lleno de aquel dulce y negro tesoro nuestro.

No creo que nadie más en la Redacción supiera que papá tenía un cajón lleno de chocolate.

Pero esta vez estaba prácticamente vacío, porque no pesaba nada.

Lo que había dentro ocupaba muy poco.

Pero eso no quiere decir que no fuese pesado.

Había un folio. Un nuevo folio cuadriculado —esto ya no me sorprendía— y escrito a máquina con la tipografía de la Underwood inconfundible de papá, como la nota anterior que me observaba, peligrosa, desde la mesa. Era una más de aquellas pistas que mi padre había decidido dejarme para ir conduciéndome Dios sabe adónde, a pesar de lo claro que tenía que mi trabajo allí ya se había terminado.

«Siempre somos dos. Siempre hay dos caras. Aunque solo podamos mostrar una».

Decidí que no iba a pensar.

Que no quería dedicarle ni medio segundo a pensar.

Que ya no podía pensar.

Solo podía guardar la hoja y aquella llave que venía pegada con celo en el papel.

Una hoja y un texto.

Y una llave pegada con un adhesivo.

Y las llaves, esto lo sabe todo el mundo, son para abrir puertas. Esta no era de caja fuerte o cajón ni nada similar. Era, sin duda, la llave metálica de una puerta.

No, no pensaría.

Guardé hoja, llave, preocupaciones, locura, taquicardias y todo lo que me había encontrado hasta ese momento antes de salir del despacho con la idea de irme hacia el coche. Del coche a la autopista. De la autopista a Coruña. Procurando no pensar.

Pero aún tuve que pensar más, sí.

Porque estaban las palabras del mail que Celia me había leído.

El mail, tras felicitarme por el descubrimiento, me pedía que entrase en el libro. Así que di media vuelta y lo posé todo sobre la mesa. Las notas, la caja con las fotos y la llave.

Y entré en el libro.

Dentro, entre sus páginas, no juntos, sino cada pocas páginas —por eso no me di cuenta cuando lo cogí—, había otras «páginas». Casi todas eran recortes del *Eco de Vigo*, pero también otros papeles. En la confusión de irlos sacando y poniéndolos sobre la mesa —mientras vigilaba la puerta, ahora ya con verdadera preocupación de que alguien me descubriese, pues sería difícil explicar qué estaba haciendo allí con todos aquellos papeles—, comprobé que también había cartas, incluso algunas dentro de sus sobres abiertos, muchas con su firma y otras con la de otras personas, algunas grapadas, como queriendo dejar claro que unas eran la respuesta a otras y que se sucedían, como se podía comprobar por los matasellos. Había también pequeñas publicaciones de un par de páginas, muy viejas y deterioradas, impresiones probablemente clandestinas ya que eran de contenido claramente político. Las siglas que encabezaban algunas de ellas, así como los nombres *(Pueblo Obrero, Voz Sindical...)*, permitían llegar a esa conclusión. Ya nada de todo aquello tenía sentido para mí. ¿Qué tenían que ver las fotos de la mujer y de mi padre con todo aquello que ahora estaba apareciendo allí dentro? Porque algo tendrían que ver... Mi padre no me iba a llevar hasta allí, hasta esos dos materiales sin relación aparente, si una cosa no tuviese que ver con la otra.

Casi todo el material impreso, las páginas del *Eco,* los papeles de propaganda llamando a la huelga y a la resistencia contra el franquismo —esos eran los temas más repetidos—, estaban disimulados entre las páginas del libro por algo. De hecho, él me lo había contado muchas veces: cómo la gente en los años más duros de la represión franquista metía los papeles comprometedores entre las páginas de un libro, que aquel siempre era un lugar seguro, y que los policías no solían encontrar un papel comprometedor si estaba escondido entre las páginas de un volumen, digamos, «inocente» —como por ejemplo los libros de aventuras, que pasarían desapercibidos ante los ojos de la *secreta* del franquismo—. Y allí, claramente, había muchas páginas que, al menos en su época, debían de ser muy peligrosas.

Me puse a ordenarlas, separando las páginas del periódico, las cartas y las publicaciones —ninguna tenía más de dos o cuatro hojas, sin duda era material para distribuir entre las militancias clandestinas de los muchos grupos que había, en especial en el mundo de las fábricas y astilleros al final del franquismo, para concienciarlos y llamarlos a la lucha—. Respecto a las páginas del *Eco de Vigo*, casi todas eran noticias cortas o reportajes relacionados con alguna huelga o manifestación y todas, absolutamente todas, eran del mismo autor: RLS. Esta vez no me tuve que esforzar demasiado. Aquel era Robert Louis Stevenson, o lo que es lo mismo: mi padre. Por supuesto que sabía que en aquellos tiempos, como hoy en día, en muchos periódicos se solía firmar solo con las iniciales, sobre todo porque los mismos periodistas redactan muchas noticias y es cansino para el lector ver una y otra vez el mismo nombre repetido como autor de las informaciones.

Pero aquel RLS no era un periodista cualquiera, eso lo sabía muy bien. Esas iniciales se correspondían con las del autor de *La isla del tesoro*.

Sí, el redactor de todo aquello había sido mi padre. Evidentemente no estaba interesado en firmar con su nombre. Para empezar, era el director del periódico y los directores no escriben información de la calle, y, desde luego, no esa clase de información y no, claro que no, en aquella época en la que informar sobre este tipo de cuestiones podría costarle a uno la cabeza. Literal o profesionalmente hablando. Por eso mi padre se había ocultado bajo las iniciales.

Y aquella era una segunda sorpresa, no sé si más grande que la que ya me había llevado con el asunto de las fotos. Mi padre le había dedicado mucha energía, o eso era lo que se deducía de tantísimo material como me había dejado, a contar todo lo que había pasado en el año 1972, periodo al que se ceñían todos los papeles que tenía delante. Yo ya sabía que aquel había sido un año muy duro a nivel de conflictos laborales y de huelgas de todo tipo sin que viniese a contármelo mi padre desde el otro mundo. Es más, aunque aún era muy niño, recuerdo estar en la calle y oír los gritos de la gente avisando de que venían los *grises* a apalear a los obreros en huelga. Yo tendría unos seis o siete años, pero tengo fresco el recuerdo de mi madre gritándome desde la ventana principal de casa, que daba a la calle, para que entrara corriendo. Y yo lo hacía. Y luego, desde arriba, recuerdo haber visto una vez las peleas entre los policías y unos hombres que vestían todos iguales, de azul. Tardé años en darme cuenta de que eran los trabajadores de Vulcano, uno de los astilleros más antiguos e importantes del barrio de Teis, en Vigo.

También recuerdo muchas discusiones en casa, cuando mi madre defendía que había que «molerlos a palos» y soltaba una pregunta que por aquel entonces no entendía muy bien. Era algo así como: «¿Para esto hemos hecho una guerra?». Todo esto lo fue completando con el paso de los años con el discurso —a pesar de que yo solo era un adolescente, ya discutía con ella en completo desacuerdo— de que «aquí lo que hace falta es mano dura». Eso repetía cada vez que en la televisión se informaba de un atentado de ETA o cada vez que se daba noticia de un robo o de cualquier tipo de suceso que, según su criterio, alterase lo que ella entendía por orden público. En ese tipo de situaciones mi padre no era un hombre silencioso de discurso invisible como era casi siempre en casa. Recuerdo más de una vez verlo absolutamente enfurecido discutiendo con ella por estas cuestiones.

Aquel día, en el despacho, mientras recogía todo aquel material, supe que muchas de aquellas riñas, y seguramente el distanciamiento que fue creciendo entre los dos con el paso de los años, debía de estar relacionado con aquello que tenía ahora en las manos.

Demasiada información.

Y toda al mismo tiempo.

17

De camino a Coruña marqué el número de la oficina. Eran las doce, así que tenía tiempo más que de sobra para llegar, ducharme y afeitarme y ordenar los papeles antes de irme a recoger a Celia. En cuanto descolgó el teléfono me pidió que le contase todo de inmediato. Su voz transmitía esa clase de urgencia que rozaba la ansiedad y que siempre suena desesperada. Le pedí que esperara hasta la hora de comer, que iríamos con tiempo, que no teníamos que trabajar por la tarde, que para eso yo era el jefe y que lo que le tenía que contar era lo suficientemente importante como para que nos cogiésemos toda la tarde para nosotros, o toda la noche —ya me gustaría—. Mi idea era llevarla fuera de la ciudad, a algún lugar alejado y tranquilo en el que poder hablar sin prisa y con la seguridad de que nadie nos molestaría.

Al proponérselo sentí que una forma de excitación, fruto de los nervios, recorría todo mi cuerpo. Sabía muy bien que tenía que ver con el hecho de verme con ella a solas. Era muy consciente de lo que sentía por Celia. No deseaba otra cosa que estar todo el tiempo con ella. Todo el tiempo posible. Hasta hacía nada había luchado contra aquel sentimiento hasta el punto de llegar a aceptar, sin más, que era algo que se me pasaría con el tiempo. Entre otras cosas estaba convencido de que una mujer como ella no se fijaría nunca en un tío como yo. Aunque me conservo bien y no aparento los años que dice mi carné de identidad, Celia es muy distinta a mí. Yo tengo que cuidarme, elegir bien qué ponerme para estar presentable y hacer algo de ejercicio para no convertirme en un «señor». Pero ella es así por naturaleza y todo en ella —su forma de vestir, sus *piercings*, el tatuaje que le vi una vez donde empieza la espalda...— es hermoso y natural.

A esas alturas, soñar con que me deseara, que se enamorara de mí, me parecía una quimera absurda propia de un tipo fantasioso y algo solitario como era sin duda en aquel momento de mi vida y a los ojos de cualquiera.

Al llegar a casa, después de ducharme y mientras salía a por café, fui más o menos capaz de posar sobre la mesa de mi habitación, que liberé de todo menos de la pequeña lámpara con la que me ilumino durante las noches de trabajo —previamente abrí el correo electrónico esperando un mensaje de papá que no apareció—, todos aquellos papeles que había traído de Vigo. El estuche con las fotos lo dejé sobre la cama. Estas estaban más o menos ordenadas, como ya había comprobado en el periódico, pero los papeles, no.

No fue muy difícil encontrar la lógica interna de aquellas páginas. Ya traía desde Vigo las del *Eco* separadas del resto del material. Lo único que tenía que hacer era ordenarlas por fecha, desde la más antigua (septiembre del 72) hasta la más reciente (mediados de marzo del año siguiente). Una vez puestas en orden quedaba claro que mi padre me estaba ofreciendo una crónica más o menos completa de cómo el periódico de la ciudad se había ocupado de aquellos sucesos tan agitados durante aquellos años revueltos. RLS se había esforzado por transmitir la veracidad de lo que estaba pasando, aunque se notaba que la censura del Régimen había trabajado mucho, como era habitual en las redacciones de todos los periódicos. De hecho, no había ni una sola referencia a un asunto que luego se conoció con el paso de los años y la llegada de la libertad y la democracia, como fue el de las torturas en las comisarías o los malos tratos sistemáticos a los detenidos. Ese tipo de cuestiones sí que aparecían en algunas de las cartas que ahora mi padre me enseñaba y que, leyendo por encima, me permitían ver que eso era lo que le pedían que contase, que hablase de esos asuntos duros de la lucha contra la Dictadura, una misión absolutamente imposible de cumplir.

Le estaban reclamando al director del *Eco* que hablase de los torturados, de los abusos de la policía a los detenidos por las huelgas del 72 y de la violencia de las fuerzas de seguridad. Me imagino su frustración ante tal petición. ¿Cómo iba a hablar en el periódico de esas cosas y a atreverse a dar esa información? La censura no consentiría que el periódico estuviese en los kioscos al día siguiente.

Dos de las cartas estaban firmadas por un tal Sardina, sin duda un mote detrás del que se escondía algún dirigente sindical de la época. Le daba las gracias a mi padre por tener, así lo decía, «la valentía de contar lo que el pueblo está sufriendo y por tener el coraje de ser nuestro aliado», pero también en otras le reprochaba que no fuese más allá y le exigía que dejase de «silenciar la represión policial y las detenciones sistemáticas de los obreros por parte de la policía fascista».

Tuve que leer, siempre con prisa —casi era la hora de comer—, algunas de las respuestas de mi padre en las que decía que «hacía lo que podía» y en las que pedía «comprensión» por lo difícil de su situación. Papá había hecho una copia de sus respuestas, sin duda —o eso quise creer en aquel momento— para que yo tuviese toda la información.

La lectura de todo aquel material me hizo entender, en un solo pensamiento feliz, que mi padre había estado comprometido de alguna forma en la lucha antifranquista. *De alguna forma.* No claramente desde la primera línea de la clandestinidad o la militancia rebelde y comprometida de izquierdas. Mi padre era el director de un periódico que, además, era claramente conservador, pero sin duda, por muy conservador que fuese, no podía dejar de informar a los lectores de lo que ellos mismos estaban viendo por las calles de Vigo y que la Dictadura pretendía esconder a toda costa. No obstante, tal y como reconocía en las respuestas que le daba a su interlocutor, hacía lo que podía y, desde luego, vista la historia desde la perspectiva de la actualidad y sabiendo como sabemos lo terriblemente duro que fue el Régimen dictatorial con aquellos que se le oponían, hizo mucho más de lo que probablemente era razonable pedirle.

La primera de las noticias hablaba del paro en la fábrica de Citroën. Después, siguiendo los recortes, se veía cómo la huelga se extendía poco a poco a otras fábricas y empresas de la ciudad que habían decidido ponerse también en paro. Los recortes del periódico hablaban de «violentos choques» entre los obreros —nunca decía «manifestantes», probablemente porque la censura no lo iba a tolerar— casi a diario. Quedaba claro que, al menos durante dos semanas, Vigo había sido una ciudad en lucha obrera. El periódico que papá dirigía lo contó como pudo. No quizá como a él le habría gustado. Como pudo.

Lo que no fue poco.

Probablemente no llegó a contar gran cosa, o quizá nada, sobre el asunto de las detenciones y, sobre todo, de las torturas que se practicaban en las comisarías o en la temida Dirección General de Seguridad de Madrid, adonde trasladaban a los que la Dictadura consideraba «más peligrosos». Fueron muchos los sindicalistas y políticos de la oposición clandestina a los que asesinaron allí dentro durante aquellos años. Los informes policiales, por supuesto, hablaban siempre de suicidios o, incluso, de accidentes...

Mis ojos se centraron después en otros materiales de aquel sorprendente estuche. En él encontré varios ejemplares de una publicación llamada *Mundo Obrero*, que hablaba del Partido Comunista y de la «unión entre los trabajadores», una de Comisiones Obreras, el sindicato aún activo a día de hoy, con mensajes más o menos parecidos... Todas estas publicaciones, y algunas otras (*La Voz del Pueblo, Sindicato Libre, Vanguardia Comunista...*), llamaban fervorosamente a la solidaridad entre los trabajadores, la resistencia y la lucha, publicaciones clandestinas que circulaban de mano en mano entre toda aquella gente dura que sabía cómo era la realidad, precisamente dura, y que había que encararse con ella, también de una forma dura, buscando la confrontación, ayudando a que aquel Régimen aislado internacionalmente, despreciado por las democracias occidentales, cayese desde dentro. En cierta forma, aquellos recortes completaban la información, uniéndola a lo que hoy sabemos sobre aquel tiempo, que los periódicos de la época (también el *Eco de Vigo*) no podían contar. Una realidad, de hecho, que tuvimos que esperar aún muchos años para poder conocerla en toda su complejidad. Y así, hojeándolos deprisa, leí sobre el conflicto en la empresa Bazán de Ferrol —los trabajadores del Naval habían sido los primeros en exigir mejoras laborales. De hecho, en los astilleros fue donde germinó Comisiones Obreras— y conocí la versión del periódico sobre las acciones de los trabajadores que protestaban en la calle por el convenio y sobre la represión «contundente» —así decía— por parte de la policía franquista; y tuve una segunda reminiscencia de la infancia en ese momento: cientos de trabajadores de Astano, unos astilleros de Ferrol, llegados a Vigo desde la otra punta de Galicia, protestaban en la ciudad y, luego, gente corriendo y mi padre —no sé por qué a esas horas no estaba en el periódico— tirando de mi madre para entrar a la carrera en casa mientras oíamos llegar las sirenas de la policía... Allí, en aquellos titulares en tinta negra, destacaban nombres que aún hoy son históricos en la vida industrial de mi ciudad: Barreras, Refrey —que hacía máquinas de coser—, La Artística, Reyman, Santodomingo, Unión Cristalera, Flex... En todas esas empresas los obreros habían decidido echarse a la calle, los sindicatos dejaban la lucha clandestina para pasar a la acción directa, para exigir más derechos y, sobre todo, un cambio real en el país. Unas acciones de una valentía extrema, pues el dictador, no lo olvidemos, aún estaba vivo y su mecanismo represor mucho más vivo todavía. Aquellos trabajadores y lí deres sindicales asumieron riesgos muy importantes, y si hoy tenemos el mundo que tenemos, en parte es por su sacrificio en aquellos días difíciles. Fueron hombres y mujeres de una fortaleza moral indiscutible. Yo no sería capaz, probablemente, de hacer la mitad de lo que ellos hicieron.

Se me echaban las horas encima y quería llegar con tiempo a mi cita con Celia. Decidí que ya me ocuparía después, con calma, de sacar las conclusiones que tuviese que extraer de todo aquello. De momento lo único que tenía eran preguntas, todas muy obvias. En especial una: ¿qué era lo que quería mi padre que hiciera con todo ese material? ¿Quizá que lo divulgase? Eso no tenía mucho sentido. De hecho, toda esa historia de la clandestinidad, de los panfletos, de la policía armada, todo eso ya está más que contado en libros, películas y documentales. No es nada nuevo. Así que tal vez lo que parecía que pretendía es que relacionase todo aquel lío con la identidad, y probablemente la historia, de aquella enigmática e inesperada señora que compartió con él una gran parte de su vida.

Tenía que ser eso. Porque para otra cosa no se me ocurría que pudiera ser.

18

A pesar de su insistencia no solté ni una sola palabra hasta que llegó el café. Así que antes fueron su ensalada de pasta y mi atún con tomate. Antes fueron mis bromas —nerviosas, atrevidas— sobre que era normal que estuviera tan guapa y con ese tipo tan fino si solo comía ensaladas. Y antes fue su rubor, inesperado para mí, como si fuera una adolescente a quien le acababan de decir las primeras e inesperadas palabras galantes, quizá de amor, de su vida, cuando sé de sobra que no es así. Ella es una mujer con un pasado lleno de vida, pues alguna vez me había contado algo, sin entrar en detalles, sobre sus amores. Y antes fueron dos vasos de un vino italiano que nunca antes había tomado y que nos bajó con toda su alegría, preparándonos para las confidencias, para una tarde que ya comenzábamos a intuir distinta a como posiblemente debería ser si nos gobernase la lógica.

—Antes de nada comemos. Es tan sorprendente lo que vas a ver que es mejor que cojas fuerzas para no desmayarte cuando te enseñe lo que me traje de Vigo.

Le decía eso y sabía que al hacerlo encendía más la chispa de su curiosidad. De hecho, por eso lo hacía, y disfruté adelantándole que me había encontrado con un padre del que no sabía nada, un padre que ni siquiera sospechaba que existía y del que probablemente él quería que supiera.

Por la ventana nos llegaba una luz amarilla y muy hermosa que declaraba, con un grito caliente como una mordedura directa en mi piel alterada, la inminencia de las taquicardias. Celia llevaba un vestido blanco que le dejaba los hombros al aire. El pelo le caía por la parte izquierda de la cabeza y yo no podía evitar quedarme atrapado, aunque me esforzaba por no hacerlo, en sus ojos castaños, pequeños y llenos de reflejos, pues la luz le daba casi directamente en la cara. Estaba claro que se daba cuenta de mi forma de mirarla y sentí un vértigo repentino, una forma desconocida de excitación y también un poco de vergüenza... En aquel instante todo era eléctrico, luminoso y feliz. Me sentía como el muchacho que se enamora por primera vez y no sabe muy bien qué hacer. De hecho, un relámpago violento en forma de pensamiento me vino a la cabeza: sí, es la primera vez que me enamoro. Estuve con otras mujeres, hice el amor con otras, pero esto no tiene nada que ver con nada de lo vivido antes...

Cogí la caja en la que estaban las fotos, el folio, la llave y en la que había metido también el estuche con el material impreso que había traído del despacho de mi padre. Lo puse todo encima de la mesa para comenzar, de una vez, a contárselo todo.

Era el momento. El gran momento que ella —y mi padre— esperaban.

Celia se inclinó hacia delante al verme sacar todo aquello, con el rostro totalmente encendido por los nervios y la curiosidad. Se mordía, simpática, la parte izquierda del labio inferior y cuando se inclinó hacia mí, no pude evitar que mis ojos se fijasen en aquel escote tan blanco y lleno de lunares que ahora se me ofrecía maravilloso y completamente abierto: un regalo para mis ojos. Sé que ella se dio cuenta de por dónde navegaba mi mirada. Sé que no le importó y entonces el escalofrío eléctrico de antes se amplificó hasta convertirse en una corriente completa de locura y felicidad.

—¿Qué es esto?

Se lo conté todo. Más o menos como pude y creo que de una forma un poco caótica, pero se lo conté. Le había pedido tanta paciencia que a cualquiera le habría sido difícil de comprender que ahora estuviera explicándome de esa forma tan confusa, con tanta urgencia, sorprendiéndola con datos que se mezclaban: la visita al periódico, cómo encontré el libro, la primera de las notas escrita a máquina, la historia de las chocolatinas, cómo había salido del despacho para buscar al que estaba controlando si resolvía o no el enigma y que había decidido ponerse en contacto conmigo al instante, la aparición de la llave, los recortes de periódico entre las páginas del libro, las noticias firmadas por mi padre —o sea, por RLS—, todos aquellos panfletos... De repente había tanto que contar y era todo tan apasionante que era yo el impaciente que pretendía resumir en un minuto lo que resultaba obvio que necesitaba mucho más tiempo para que la historia se pudiese entender en toda su magnitud. Y como una catarata de palabras incontenidas, le conté lo que sabía mientras veíamos las fotos una a una, deteniéndonos en cada detalle, analizándolas con cuidado, intentando adivinar paisajes, caras que nos recordasen algo o a alguien. Ella abrió la boca, admirada y sorprendida por todo lo que estaba pasando por delante de sus ojos y que sin duda no esperaba.

—Mira la mosquita muerta de tu padre... ¡Tenía una amante!

Nos reímos los dos con su comentario, que soltó como con voz de señora muy mayor y escandalizada, poniendo la palma de la mano delante de la boca en un falso gesto de sorpresa. Y nos reímos, sí, nos reímos mucho. Fui feliz riéndome con ella, al mismo tiempo que ella, a su lado, y me imaginé a papá viéndonos desde algún sitio y riéndose con nosotros, al mismo tiempo que nosotros, con nosotros; de alguna forma estábamos allí los tres, delante de las fotos y de los recortes de periódico gracias a él y a su (retorcido) plan para que yo llegase hasta allí. Entendí, al verla reír así, de esa forma espontánea y despreocupada, que Celia era, como ya creía, una mujer increíble. Porque estoy seguro de que la mayor parte de la gente que tuviese noticia de lo de la aventura de papá —si es que se le puede llamar aventura a una relación tan dilatada en el tiempo, pues aquellas fotos evidenciaban que había durado muchos años—, sin duda mostrarían una cierta forma de escándalo, real o fingido. Sobre todo porque el *affaire* estaba protagonizado por un hombre como él, toda una referencia moral en la ciudad, un señor, en el sentido más convencional del término, uno que creaba opinión cuando hablaba y a quien todos tenían en cuenta por su categoría personal y respetaban, como había quedado claro en el cementerio. Así que si llegase a saberse toda esta historia que ahora empezábamos a conocer, la primera reacción de la mayor parte de las personas sería como mínimo de incredulidad. Y algo más tarde pasarían de la incredulidad al rechazo acogiéndose a la moral, los buenos hábitos, la tradición o la familia. Yo, desde luego, no lo veía así y era obvio que Celia tampoco compartía esa visión timorata de la realidad que suele tener la gente, digamos, *normal.* Para mí —creo que puedo decir que para *nosotros*— lo que teníamos allí, revelado en aquellas fotos en compañía de aquella hermosa señora, era un hombre que, a su forma y de una manera clandestina —qué remedio—, había sido capaz de vivir la felicidad. A escondidas, claro, pero había sido capaz de vivir el amor. Lo había conseguido durante su vida y eso para mí era lo que realmente importaba en aquel momento: que mi padre fue feliz y vivió el amor y, por lo que se ve, fue correspondido durante muchísimos años por alguien que al parecer también lo quería. Y, como ya he dicho, ser consciente de ello suponía una cierta forma de alivio.

Muchas veces me había torturado imaginando el sufrimiento de mi padre conviviendo con mi madre día a día. Ahora, saber que había más vida para él que la rutina del periódico y la vuelta a la casa gris me hacía sentir bien. Sé que a Celia también. Yo nunca me había reprimido a la hora de comentarle lo que me pasaba con mi madre, la clase de relación que tenía con ella. Si para mí era insoportable compartir el mismo espacio con aquella mujer, a pesar de lo poco que convivimos, no era capaz siquiera de imaginarme el sentimiento de resignación que podía tener mi padre después de pasar toda la vida con una persona que no lo entendía y con la que, probablemente por pura supervivencia, no hablaba. Ni ella con él.

—Tuvo que ser una mujer muy moderna —dijo Celia.

—¿Por qué dices eso?

—Fíjate en la actitud con la que mira a la cámara. Observa el tamaño de esa falda. ¡Es muy corta para el momento en el que fueron hechas! ¡Yo tengo bragas más grandes!

Me hizo gracia su comentario, pero me puse serio enseguida porque, aunque en teoría estaba mirando las fotos, en realidad mis sentidos estaban concentrados en aspirar el aroma que emanaba, dulce y afrutado, de ella. El perfume de su cuerpo, ahora tan cerca de mí. Nuestras cabezas casi se tocaban, las dos inclinadas sobre las fotos esparcidas por la mesa y mezcladas con los recortes de periódico y los panfletos revolucionarios de otra época llamando al cambio.

Le mostré la llave, la cogió y la puso a la altura de los ojos.

—¿Sabes qué puede abrir esta llave? ¿Alguna indicación, dirección, algo? ¿La habías visto antes?

—¿Se te ocurre algo a ti? —le respondí sonriéndole y mirándola directamente a los ojos, con ganas de seguir jugando a lo que ya era claramente el juego adulto y festivo de la seducción. Ella me sostuvo la mirada durante dos segundos y su expresión pasó de la sonrisa a una forma de seriedad sensual y madura—. Si conocieras a mi padre como yo lo conozco, sabrías que eso sería simplificar mucho el juego. Ponérnoslo demasiado fácil. Ya quisiera yo saber las respuestas a todo eso que me preguntas... Conociéndolo como lo conozco —repetí, hablando en presente como si mi padre no llevase ya un par de días muerto—, ese es un dato que aún vamos a tardar en saber. Lo tendremos cuando sea necesario, pero no ahora. En este momento lo que debemos hacer es descubrir cómo se relaciona todo esto, todas estas fotos, recortes de prensa, cartas y panfletos entre sí. En definitiva, ordenar las piezas de este rompecabezas.

Bajamos la mirada. Noté temblar sus labios.

—¿Qué me dices de esta nota?

Es verdad. La nota. Leí en voz alta: «Siempre somos dos. Siempre hay dos caras. Aunque solo podamos mostrar una».

Le volví a recordar que todas las notas habían sido escritas en la Underwood de papá, en aquella máquina de escribir que siempre estuvo en mi casa, con aquella tipografía tan particular e inconfundible. Le hice ver que ese dato era importante. Que el hecho de que papá hubiese utilizado su antigua máquina de escribir para redactar esas notas indicaba que esa parte de las pistas —no se me ocurría otra forma de llamarlas— se había hecho en casa, en su despacho.

—¿Qué crees que significa ese texto? —le pregunté—. Le he dado un montón de vueltas y no se me ocurre nada. No soy capaz de relacionarlo con ninguna novela ni con ningún personaje ni con ninguna escena famosa de ninguna obra literaria. Pero, en fin, que yo no lo sepa tampoco quiere decir nada. No lo sé todo... O a lo mejor esta vez la clave no está en un libro, sino en alguno de esos recortes de periódico.

Mirando hacia el techo, al ventilador apagado que ocupaba el centro de aquel comedor, como si las respuestas se escondiesen por ahí arriba, fui repitiendo, como si estuviera recitando un poema o una extraña oración, cada una de aquellas frases que ya sabía de memoria.

«Siempre somos dos. Siempre hay dos caras. Aunque solo podamos mostrar una».

Celia me quitó la nota de las manos. Ahora era ella quien repetía, como acababa de hacer justo antes, cada una de las frases. Acompañaba su lectura —y me pareció un gesto delicioso y delicado— pasando el dedo índice por las letras, como asegurándose de que estaba leyendo bien y que no se comía ninguna palabra.

Celia llevaba las uñas decoradas con dibujos de pequeñas flores violetas.

Siempre somos dos.

Guardó silencio para pensar.

Siempre hay dos caras.

Volvió a callarse.

Aunque solo podamos mostrar una.

El tercer silencio fue mucho más largo.

Ya pasaban de las cuatro y no quedaba nadie en el comedor.

—Para mí está claro. Tu padre está explicándote que una cosa es lo que dejamos ver delante de la gente y otra muy distinta quiénes somos en realidad. Lo que no sé es para qué te dice semejante obviedad. ¿Porque tenía una amante?

Celia se quedó callada un momento mirando hacia el café vacío. Después se volvió repentinamente seria. Me miró y, tras un segundo de transformación, se le iluminó la cara. Y entonces salió el sol.

—Claro, ¿no lo ves? —Mi cara debió de dejarle claro que no—. ¡Que somos dos! ¡¡¡Lo que se ve y lo oculto!!! —Le brillaban los ojos. Se tocó el pelo pasándolo para el otro lado—. ¿En serio no lo pillas? ¡¡¡Stevenson!!! ¡¡¡Otra vez Stevenson!!!

Seguí callado, incapaz de entender adónde quería llegar, pues me parecía bastante evidente —ella acababa de decírmelo— que estaba reconociendo que tenía una amante, otra vida oculta, y que no lo podía ir diciendo por ahí.

—¡¡¡Stevenson!!! —volvió a repetir, esta vez incluso gritándolo un poco más.

—¿Qué?

—*¡El Doctor Jekyll y Míster Hyde!*

¡¡¡Claro!!!¡¡¡Ahora sí!!! Era eso. ¡Por supuesto! Esa podía ser ahora la nueva clave. ¡¡¡El libro de Stevenson!!! ¡¡¡Otro libro de Stevenson!!! Todo encajaba. Antes *La isla del tesoro...*, y ahora esta nueva obra que habla de un hombre que sufre un desdoblamiento de personalidad y que a veces es un ciudadano pacífico y otras un asesino psicópata y peligroso. Sin duda, no era eso lo que me quería decir mi padre, que él fuera alguien así, sino que, como en el caso de *La isla del tesoro*, lo que pretendía era llevarme hasta un nuevo libro de Stevenson. Un libro que habla precisamente de las vidas ocultas que no deben salir a la luz porque no van a ser entendidas.

—Y recuerda —dijo Celia ya totalmente emocionada, feliz, pletórica, brillante, orgullosísima de sus dotes de detective—, ¿qué era lo que llevaba siempre Flint, el protagonista de *La isla del tesoro*, colgado del cuello?

Sentí un escalofrío que me hizo dar un salto hacia atrás y levantarme:

—¡Una llave!

Me costaba respirar. Sentía que mi corazón estaba a punto de salírseme del pecho.

—¿Sabes dónde tenemos *El Doctor de Jekyll y Míster Hyde*? —preguntó Celia.

¡Lo sabía, claro que lo sabía! Estaba en la editorial. Lo había traído Celia de casa de mi padre hacía algo más de un año para escanear la cubierta, que necesitábamos para un libro que estábamos haciendo sobre Londres. Asentí con la cabeza y no tuve que pronunciar ninguna palabra para que se diese cuenta de que ya me acordaba de dónde se encontraba.

Me senté al ver que ella también lo hacía.

—¡Dios! ¡Esto es increíble! ¡Tu padre era un tipo muy retorcido!

Sentí temblar a Celia, emocionada. Y ella notó que yo la miraba.

Posé mi mano derecha sobre su mano izquierda. Nos miramos.

No retiró la mano.

Cerré los ojos y acerqué mis labios a los suyos. Nos dimos un beso corto.

Nos separamos, ella estaba muy seria y yo, tan nervioso que estaba seguro de que me iba a dar un infarto allí mismo.

Unos segundos después estábamos fundidos en un beso largo, caliente y lleno de luz.

19

Caminamos hacia el coche prácticamente sin hablar, cogidos de la mano. Sentía el tacto caliente de su piel y mi corazón bailando dentro del pecho. Cuando saqué la llave nos besamos de nuevo antes de subir al vehículo, fundidos en un abrazo profundo que llevábamos mucho tiempo esperando. Si tengo que buscar una palabra que resuma cómo me encontraba, diré que la que más encaja es «confusión», pues lo que estaba sintiendo no se parecía en nada a ninguna experiencia anterior. Siempre se me han dado bien las relaciones con las mujeres y nunca he tenido problemas para ligar. Soy un soltero feliz, con la cama casi siempre ocupada por alguna agradable compañía. Pero sabía que lo que sentía por Celia era definitivamente diferente. Con las demás había sido algo más físico que otra cosa, pero esta vez todo era distinto. Deseaba a Celia, claro que sí, la deseaba como a la mujer hermosa que era desde hacía muchísimo tiempo, pero ahora que estaba a punto de pasar lo que llevaba meses deseando que sucediera y que nunca había considerado factible, el sentimiento era ese y no otro. Confusión. Probablemente porque no quería hacerle daño. Porque a otras que se enamoraron de mí les hice —sin querer pero se lo hice— mucho daño. A ella no se lo quería hacer por nada del mundo.

—¿Vamos a tu casa?

Con esa pregunta ella ya lo había dicho todo.

Y, sin más palabras, cruzamos la ciudad. Todo estaba lleno de luz a pesar de que había empezado a caer lentamente la noche. Celia miraba por la ventana, aparentemente ajena a mí, y yo no me atrevía a hablarle. Entré en el garaje y apagué el motor. Puso su mano sobre la mía, que descansaba en la palanca de cambio.

—Subimos —dijo ella.

Y subimos.

E hicimos el amor con dulzura y entrega.

Después, en algún momento, me quedé dormido.

Cuando me desperté, de madrugada, Celia ya se había ido.

20

A las ocho y media de la mañana entré por la puerta de la editorial. Debo decir que me sentía algo intranquilo, pues no era capaz de adivinar qué iba a suceder después de lo que acababa de pasar entre nosotros. Porque Celia no es una mujer como las demás. Ella es libre en términos absolutos, situada, como yo, en los cuarenta y pico, con la seguridad que dan la experiencia y la edad y acostumbrada a vivir su propia vida como le daba la gana y sin compromisos. Habíamos hablado alguna que otra vez de que ninguno de nosotros se había atado nunca en serio a nadie. Lo cierto es que a mí siempre me había sorprendido su actitud tan franca y sincera acerca de la cuestión amorosa, la claridad y la libertad con las que hablaba. Me había contado que a lo largo de su vida habían sido muchas las veces que había tenido relaciones con toda clase de hombres solo por el placer de tenerlas, porque le parecían personas interesantes o atractivas y porque le apetecía, o porque le interesaba en un momento concreto. No obstante, siempre que empezaba aquellas historias, me contaba —y recordar precisamente esas palabras aquella noche insomne me dolió en lo más profundo— que sabía que aquellas uniones tenían fecha de caducidad y que eran historias de amor con «a» minúscula. Había reiterado que no tenía ninguna intención de atarse a nadie. Yo, por mi parte, siempre había expresado más o menos lo mismo, y en mi caso estaba claro que la experiencia de mis padres, lo que había visto en casa, me condicionaba para pensar o ser de esa forma. Su caso, en cambio, era una apuesta vital. Yo sabía —porque ella nunca escondía esa clase de información— que siempre había amigos con los que salía y alguno con el que dormía durante más o menos tiempo. Siendo ella tan hermosa, estaba seguro de que siempre tenía cerca posibilidades de amor y que a su manera disfrutaba de una vida sentimental plena. Así que durante aquella noche me volví medio loco pensando que conmigo también iba a ser igual y que lo que había pasado se borraría de su memoria con rapidez. Nuestra historia de amor se iría a vivir a algún lugar remoto de su corazón. Olvidado para siempre. En el mío no, ya que estaba —lo sabía desde hacía mucho tiempo— enamorado de ella. A mí no me iba a valer llegar a la oficina como cualquier otro día y que todo fuese como antes de aquella noche.

Pero quizá no tenía que pensar así. Al fin y al cabo, ¿qué tenía? Acabábamos de pasar unas horas de amor y pasión, de besos, de cuerpos y de almas felices que se habían entregado al placer dichoso del sexo. Quizá no tenía sentido esperar más ni había por qué. Le gusté, le apeteció, me gustó, le apetecí, nos acostamos y ya está. Seguro que al día siguiente me diría algo así. Ya lo había oído antes: tenemos que disfrutar de la vida estando con quien nos apetezca y sin complicarnos la existencia, que ya es lo suficientemente complicada, atrapando el amor según viene, no dejando pasar a las personas que nos pueden hacer la vida mejor. Yo le había dado la razón, claro, porque también pienso así. Pero ya he dicho que sentía la aguja del enamoramiento clavada en el corazón y me paralizaba el miedo de no saber qué debía hacer cuando la viese. ¿Tenía que darle un beso? ¿Saludarla como cualquier otro día y ocuparme de los asuntos editoriales cotidianos? ¿Sentarme en mi mesa sin más?

Con estas dudas en el alma y el cansancio en los ojos, entré por la puerta. Celia ya estaba dentro. De pie y abierto sobre el mostrador, el libro de Stevenson que necesitábamos.

—¿Has descansado?

—No mucho, la verdad —respondí.

Me miró sonriendo.

—Pues sí que se te veía cansado, ¡cuando me marché a casa ni cuenta te diste de que me iba!

Me dio la risa. Y le dio la risa. Y nos reímos a la vez. Y esas carcajadas hicieron que desapareciesen todas las preocupaciones al instante. Entendí que no servía de nada imaginar lo que iba a pasar con nosotros —después de todo, tal vez ni había un nosotros—. Entendí que el día a día iría marcando el ritmo de lo que nos esperase, si es que nos esperaba algo.

Solo sabía que estaba en sus manos. Y que ella decidiría cómo, cuándo y cuánto.

—Ya llevo aquí un ratito.

—¿Por qué?

—Yo tampoco podía dormir, así que a las siete me vine para aquí.

Me acerqué al libro. Vi que ella tenía un recorte de periódico.

—Pero no para trabajar, claro. Has venido por el libro.

Me puso el recorte de periódico en la mano.

—Fíjate en la fecha: otro de 1972. Estaba dentro del libro. No hay nada más. Estaba por la mitad y mira lo que hay ahí.

—¿Qué es esto?

—Parecen unos números.

Con la letra de mi padre, con aquella caligrafía inconfundible, había unos números anotados en la página: 218716.

—¿Qué es?

—Y yo qué sé... Si no lo sabes tú, que era tu padre, ¿cómo esperas que lo sepa yo? Le di muchas vueltas y no se me ocurre nada. O, por lo menos, nada que ver con Stevenson. Al menos yo no encuentro ninguna relación.

—Igual es una combinación de alguna caja fuerte o algo.

—¿Por qué piensas eso? —preguntó.

—Por la llave. —La saqué y la puse encima del mostrador—. Obviamente quiere que abramos algo, y quizá sea esa la combinación que abre la caja, junto con la llave. Aunque, en fin, esta llave es más de una puerta que de una caja fuerte.

Celia me miró muy seria mientras señalaba con el dedo índice el recorte.

—Me parece muy bien todo lo que dices, pero yo empezaría leyendo esto.

21

GRAN INCENDIO EN EL CENTRO DE VIGO
El edificio quedó totalmente destruido

RLS. Redacción.— Sobre las siete de la tarde de ayer los bomberos recibían el aviso de un incendio de grandes proporciones en un edificio céntrico de la ciudad, en las instalaciones de una imprenta. Fuentes consultadas por este periódico explicaron la rápida extensión de las llamas por el hecho de que el lugar albergaba una importante cantidad de papel y otros materiales inflamables comunes en la actividad propia de las artes gráficas. Afortunadamente, la imprenta era un bajo sin plantas superiores y no existían viviendas que pudieran verse afectadas, por lo que no hubo que lamentar daños personales. Este periódico entró en contacto con los bomberos para conocer las posibles causas del inicio de las llamas. El informe oficial destaca el carácter accidental de la tragedia.

22

Celia no tenía la más mínima intención de darme tregua.

—Estarás de acuerdo en que esa nota es rara.

—¿Cómo que rara?

Estaba intentando procesar lo que acababa de leer y aún no sabía a qué podía referirse con eso de que era rara. Era una nota que informaba de un incendio en una imprenta de Vigo un día de 1972. Obviamente mi padre la había dejado allí, como todo lo demás, para mí, para que lo leyese. Y, como siempre, lo había hecho por algo. Además —se lo señalé a Celia, que ya se había dado cuenta del detalle—, el autor de la información era de nuevo RLS, es decir, mi padre.

—¿Qué tiene de raro? ¿Que no tiene foto?

—¡Pues menudo hijo de periodista estás hecho!

El comentario era claramente un desafío. Sonó festivo, pero a la vez quería picarme para obligarme a desentrañar por mí mismo el enigma. Otra como mi padre, pensé. Así que le arrojé la mirada seria que exigía la batalla que me proponía, pero, al verla, inevitablemente volvieron a mi cabeza todas las imágenes, deliciosas, del día anterior, con su velada de descubrimientos y complicidades y, sobre todo, el recuerdo de aquella noche plena de amor intenso y alocado. La miré solo durante unos segundos en los que me fui poniendo más y más serio, pues lo único que quería en aquel instante era besar aquellos labios rojos.

Estaba claro que iba a sufrir mucho cuando ella me dejase.

Reconocí mi derrota tras volver a leer la noticia todavía más despacio. Le repetí que no encontraba nada raro en aquel recorte antiguo.

Celia fue rotunda:

—A ver, ¿dónde has visto tú que se dé una noticia sobre un incendio y no se diga dónde fue? ¿No ves que no están el nombre de la imprenta ni la calle donde se encontraba situada ni ningún otro dato que indique en qué parte de la ciudad sucedió? ¡Es una información que no informa de nada! Habla de una «imprenta céntrica». Eso no se cuenta así, no es lógico que no se mencione la calle en la que pasó algo tan gordo. Es algo básico del periodismo, ¿no?

—Sinceramente, no sé adónde quieres llegar...

—A ver, Toni, piensa un poco. ¿Qué fue lo que hizo tu padre hasta ahora? Primero, el asunto ese de los mails, ¿no? Tenemos claro que no fue tu padre, porque un muerto no manda correos electrónicos, ¿verdad?

—Eso está claro.

—Vale. Lo haría quien fuese por orden suya, o un programa informático, o ya veremos cómo o qué o quién es el responsable de todo esto, pero tenemos claro que tu padre no pudo ser porque está muerto. Pero aun así, fue capaz de llevarte hasta *La isla del tesoro* y de ahí a las fotos y a los recortes de prensa y a la llave. Y todo esto tiene que estar relacionado con todo este material nuevo que tenemos ahora delante, ¿no crees?

—Hasta ahí llegaba yo solo.

—Sí, pero ahora contamos con algo diferente que seguro que tiene mucha importancia.

—Ese número, esos seis números de ahí —respondí señalando aquella combinación numérica,

218716, satisfecho de poder añadir algo por fin al juego deductivo en el que ella se había metido.

—No, querido editor, de eso nada. Déjame seguir. Sabemos que todo está relacionado. Los libros de Stevenson, la llave, los recortes de prensa, las fotos, esa mujer con la que estuvo tantos años...

—Y el incendio —apostillé sin mucha convicción.

—En efecto, y el incendio. Pero para mí lo que importa en este momento es este recorte. Porque falta la información más básica en esa noticia: dónde fue el incendio, en qué calle y cómo se llamaba la imprenta que ardió. No es normal que se publique una información tan poco precisa por malo que sea el periódico que la saque. Además, el *Eco* es un periódico local y la gente quiere estar informada de las cosas de su ciudad, de su barrio. Incluso hoy en día el *Eco* sigue viviendo un poco de ese tipo de información, ¿no te parece?

A esa última pregunta ya no contesté, pues era obvio que tenía razón. Mis ojos se centraron de nuevo en el recorte. Y sí, era una nota impropia del periódico de papá. De hecho, de cualquier periódico. Él era un periodista muy escrupuloso y serio en su trabajo y la mayor parte de sus compañeros también, por supuesto, así que nunca habría consentido que se publicase una información, digamos, tan poco informativa.

—Pienso que lo que quiere tu padre es que investigues ese incendio. Me parece que, por lo que fuese, en su día no pudo decir más que lo que tenemos aquí y tan mal contado. Si no, ¿a santo de qué te deja ese recorte dentro del libro?

—También pudo habérsele quedado ahí accidentalmente —respondí—; igual estaba simplemente dentro del libro y no tiene nada que ver con nada.

—A ver, Toni. —Celia se puso de pie y acercó su cara a la mía. Su piel olía a fruta, su cuerpo emanaba el mismo perfume que hacía unas horas me había embriagado cuando la tenía latiendo entre mis brazos—, ¿me vienes con eso a estas alturas? ¿Te das cuenta de que es un recorte de periódico de 1972 y que, además, ese incendio fue en plena época de conflictos y rebelión contra la Dictadura franquista?

Levanté una mano para acariciar su mejilla izquierda. Al hacerlo cerró los ojos y giró la cara para apoyarla por completo sobre la palma de mi mano en un gesto delicado de amor. Luego los abrió y me regaló una sonrisa.

—Ya sé que tienes razón, Celia, está claro que mi padre quiere que investiguemos ese incendio. Lo que no me puedo imaginar es el porqué, o qué podría tener que ver con todo lo otro que nos dejó leer, las fotos con esa mujer, la llave, los números... Todo es muy confuso y yo aún estoy tocado por su muerte.

Celia volvió a cerrar los ojos y, rozando suavemente su rostro con la mano que sujetaba su cara, habló suave y deliciosa:

—Seguro que terminaremos sabiéndolo todo, es cuestión de tiempo. Creo que la clave está en esos números.

Abrió los ojos y se separó de mí otra vez.

—Tenemos toda la mañana para encontrarle un sentido a todo esto.

Le dije que sí.

Enamorado.

Absolutamente.

23

Aquella mañana hicimos de todo. Nos pusimos como objetivo realizar una investigación intensa por la Red —era el camino más fácil, pero también resultó el menos efectivo— para ver si encontrábamos alguna información referente al incendio que pudiese completar los datos que faltaban, por el motivo que fuera, en el recorte del periódico. Probamos diferentes órdenes, combinaciones y secuencias y cada idea matemática que se nos pasó por la cabeza, que fueron muchas, jugando con aquellos números a ver si llegábamos a saber qué podían significar o adónde podía llevarnos aquel 218716 enigmático y frío que mi padre nos había ofrecido como nueva tarea obligatoria.

Internet no sirvió de nada, por increíble que parezca. La web del *Eco* dejaba mucho que desear y allí no se encuentra mucho más que una reproducción digital del periódico del día. El buscador, pobre y poco operativo, únicamente mostraba las noticias que estaban disponibles desde que existía la web del periódico, es decir, desde hacía muy pocos años.

—Vas a tener que volver a Vigo, a la hemeroteca, a los archivos del *Eco* para ver los ejemplares de los días posteriores al incendio, a ver si encuentras algo.

Y, como pasa muchas veces, en un momento de lúcida inspiración —o de lucidez nacida de la desesperación— me di cuenta de que existía una opción muy sencilla que aún no habíamos explorado. Sugerí que hablásemos directamente con el periódico, con Mari o con Sandra, o con cualquiera de las que a esas horas estarían ocupándose de la centralita telefónica para ponerlas a trabajar por nosotros. Bastaría con decirles que necesitaba que me buscaran algo y no dudarían en ponerse de inmediato con eso. Después de todo, soy el hijo del que había sido su jefe durante un montón de años y futuro propietario del periódico.

Y así lo hice. Llamé y me lo cogió Mari. Nos saludamos y pasé directamente al asunto que me preocupaba y por el que la necesitaba.

—Quiero que busques algo por mí en la hemeroteca.

—Lo que quieras.

Le expliqué que era un favor personal y que quería que fuese discreta, que no lo comentase en la Redacción si alguien le preguntaba qué era lo que buscaba. A fin de cuentas, sería rarísimo que la encargada de las líneas telefónicas se metiera en la hemeroteca para husmear en ejemplares de hace cuarenta años. Añadí que se trataba de algo relacionado con mi padre y que era fundamental que buscase unos datos en concreto. Reconozco que hice la petición poniendo una probablemente poco necesaria voz intrigante y un poco como de súplica para asegurarme así su buena disposición para la causa. Ella contestó con un «sí, claro» que era la demostración de que mi plan empezaba a funcionar; dejaría todo lo que estuviese haciendo para ir a la planta baja donde están encuadernados todos los ejemplares publicados por el *Eco de Vigo* desde su fundación, clasificados por años, sin faltar una sola página, y ordenados pulcramente para facilitar el trabajo de quien lo necesitase. La información que buscábamos podría estar allí y Mari tendría que ser nuestros ojos en la distancia.

—Espera, voy a tomar nota.

Después de un pequeño silencio me pidió que siguiera. Celia me cogió de la mano. Yo acariciaba sus nudillos con mi pulgar mientras hablaba con Mari y miraba a Celia a los ojos.

—Verás, necesito que eches un vistazo a los periódicos que van desde el 14 de octubre de 1972 hasta, digamos, una semana después. Ese día se publicó una noticia sobre un incendio en una imprenta de Vigo.

—¿Sabes cuál es la página, la sección? —me interrumpió Mari.

—No, la verdad es que no lo sé. Imagino que en «Sucesos» o «Vigo», o a saber cómo estaban organizados los contenidos del periódico hace cuarenta años. No te va a dar demasiado trabajo buscarlo, en aquella época los periódicos eran mucho más delgados que hoy en día. Localizas la noticia y después, por favor, busca en los de los días siguientes, a ver si hay alguna clase de referencia, la que sea, a ese incendio. Lo que encuentres, por favor, escanéalo y mándamelo por correo electrónico, ¿vale?

—¿Buscas algo en concreto?

No podía decirle de ninguna manera qué era lo que buscaba. De hecho ni siquiera nosotros mismos lo teníamos muy claro.

—No, nada en especial —mentí—, solo quiero completar una información, un par de datos para un libro en el que se habla de ese incendio. Comprueba si hay algo sobre eso, ya sabemos que ardió una imprenta, pero necesito saber si el *Eco* contó algo más en los días posteriores. Así que en el caso de que encuentres algo sobre ese incendio o sobre esa imprenta, la más pequeña referencia, aunque sea un artículo breve de muy pocas palabras, házmelo llegar. Por favor, anota mi correo.

Nos despedimos cordialmente y añadió que, encontrase o no lo que buscaba, me enviaría igual un correo para informarme.

Cuando colgué le dije a Celia que necesitaba un café. Entre la tensión y, sobre todo, el cansancio después de aquella noche agitada, en todos los sentidos de la palabra, mi cuerpo pedía cafeína a gritos.

Se puso la chaqueta: un gesto para decir que sí; cerró con llave, como hace siempre que no se queda nadie en la editorial, y en cuanto las puertas del ascensor se cerraron, como un resorte, como si una descarga eléctrica nos hubiese atacado por la espalda y sin avisar, nos fundimos en un beso lleno de ansiedad, en un abrazo muy estrecho que terminó en el instante en el que notamos que el ascensor se detenía. Agitada, Celia salió primero. Saludé con naturalidad a una de las vecinas que ya entraba en aquel ascensor incendiado de amor y deseo.

Fue un café largo, mucho más que cualquier otro que hubiésemos tomado nunca durante el descanso del trabajo. Emborronamos docenas de servilletas probando a sumar los números, a sustituirlos por letras del abecedario, a ponerlos de tres en tres, de dos en dos, combinándolos de mil formas y maneras diferentes, algunas sin ningún tipo de lógica y que terminaron por hacernos reír... Hicimos de todo, pero en vano. Celia insistía en que tenía que ser una combinación, y era lógico que pensara eso, pues teníamos una llave que debía abrir algo.

—La imprenta. La llave es para abrir la imprenta —dije sin pensar.

—No, hombre, la imprenta está totalmente destruida, al menos eso es lo que contó en su día el periódico. ¿Para qué te iba a dar la llave?

Volvimos a la editorial y me senté en mi silla. Decidimos que lo mejor sería trabajar un poco. Había asuntos que solucionar y no me sentía capaz de seguir haciendo más combinaciones, sumas y restas. Así se lo dije. Jamás me habían gustado las matemáticas y aquel día menos que nunca.

Busqué el móvil para hacer una llamada. Me lo había olvidado en el bar, como tantas veces. Celia se rio por mi despiste.

Al llegar a la puerta me paré en seco.

Me imagino que la mente humana funciona así y que va por libre. Pero sin estar pensando ya en aquel tema, mi cerebro lo hizo todo por mí.

—¿Y si es un número de teléfono?

Celia dejó de mirar a la pantalla del ordenador y se quitó las gafas. Sus ojos castaños como avellanas sonreían.

—¡Los números de teléfono de antes solo eran de seis números! —expliqué, eufórico—. ¡Podría ser un número de teléfono de 1972!

—¡Sí, podría ser! —dijo Celia igual de entusiasmada que yo y sonriendo aún con más fuerza.

—Me voy al bar a recuperar mi móvil y luego llamamos a ese número.

Celia, seria, contestó:

—Toni, ahora los números tienen nueve dígitos. ¿Cómo sabrás los tres que faltan?

Le lancé un beso con la mano desde la puerta, absolutamente encantado conmigo mismo.

—Lo sé de sobra. Solo tenemos que poner el 986 delante y llamaremos al lugar de Vigo al que mi padre quería que llamásemos.

—Pero ¿cómo lo sabes?

—Porque sí, verás como sí.

Y bajé al bar pletórico de alegría y confianza.

24

En cuanto volví después de recuperar mi móvil Celia me informó de que durante mi ausencia había llegado un mail de Mari, la secretaria del periódico.

—¿Y qué dice?

—No me atreví a abrirlo.

—No seas tonta, vamos a ver qué hay ahí —respondí lleno de seguridad, contento.

Me senté delante de mi ordenador, con ella detrás. No pude evitar hacer una broma sobre mi nerviosismo y la apreté un poco contra mi cuerpo, que aún temblaba después del beso del ascensor. La abracé y sentí los volúmenes redondos de su anatomía, aquel cuerpo que yo deseaba más a cada segundo, que cada momento era más necesario para mí.

El correo de Mari confirmaba lo que de alguna forma ya nos imaginábamos, aunque no teníamos por qué pensarlo. Informaba de que no había encontrado ni una sola noticia más acerca del incendio o que lo recordase de alguna forma en ninguno de los periódicos de los días sucesivos. Me dijo que los había revisado todos varias veces y con sumo cuidado. Ni en los días siguientes ni en el resto del mes. Algo que, por otra parte, era perfectamente lógico, ya que había sido solo un simple incendio de un pequeño negocio, no tan trascendente como para que tuvieran que ocuparse de la noticia ni un solo día más. Otra cosa sería si hubiese habido muertos en el siniestro o si se hubiesen visto afectadas viviendas particulares. Le contesté dándole las gracias y diciéndole que le debía un favor.

—Voy a llamar a ese número.

Celia permanecía de pie, pegada a mí. Se acercó a su mesa para coger el papel donde tenía anotado el número. Se lo cogí, pero más que nada para rozar sus manos, porque lo cierto es que ya me lo sabía de memoria. Se acercó de nuevo y me apretó con fuerza los hombros como gesto de ánimo. A través de sus dedos, de esos mismos dedos que ayer recorrían mi cuerpo entregado a ella, noté su tensión e inquietud.

Marqué los seis números poniendo el 986 delante, con el corazón encogido y, no voy a mentir, deseando que nadie descolgase el teléfono.

Sabía que viviríamos mucho más tranquilos si nadie respondía.

Contestó una voz de hombre que aparentaba ser muy mayor. Una voz un poco aguda y debilitada que arrastraba las palabras al hablar.

Como si le costase. Como si sus palabras tuvieran mucho peso. Que lo tenían.

Su «Diga, ¿quién es?» sonó casi como una amenaza.

No sabía muy bien qué decir. Lo único que me salió fue:

—Mire, usted no sabe quién soy yo, de hecho no sé muy bien por quién tengo que preguntar. Tengo su número y...

—¿Toni?, ¿usted es Toni?

25

Sentí la alteración de Celia cuando mis ojos se clavaron en los suyos, preñados de una expresión de espanto que dejaba claro que lo que acababa de oír al otro lado del teléfono era, en efecto, espantoso. Aún se sorprendió más al oírme decir las palabras que salieron de mi boca y que pronuncié casi murmurando:

—Sí, yo soy Toni, pero ¿quién es usted y cómo sabe quién soy yo...?

Celia se sentó muy despacio, como si le pesara el mundo entero sobre la espalda. Abrió la boca poniendo la mano delante, reprimiendo algo que podría llegar a ser un grito.

—Sabía que llamaría. Yo soy César.

Mi cabeza se puso a trabajar rápido, intentando averiguar qué César conocía y qué César tenía algo que ver con papá y, sobre todo, cómo podía ser que el tal César me conociera y que supiera que iba a llamar.

Pero mi cabeza, a pesar de los esfuerzos, no fue capaz de encontrar ni un solo César conocido de quien tuviese la más remota idea. Así que me imagino que la pregunta que hice no podía ser otra.

—¿Qué tiene que ver usted con mi padre?

—¿Con quién? ¿De qué me habla?

La respuesta me dejó aún más descolocado. Si aquella persona nada más oírme ya sabía quién era yo, ¿cómo podía no saber nada de mi padre?

—Pero ¿usted no es Toni? —me preguntó como para hundirme aún más.

Ahora su voz dudaba, así que repetí, tal vez con más energía:

—Sí, sí, soy Toni, el hijo del director del *Eco de Vigo.* —Aquel silencio de un par de segundos me hizo comprender que las cosas iban a ser aún más difíciles de lo que pensaba—. Encontré su número de teléfono en un documento que dejó mi padre antes de morir para que lo llamase.

—Mire, no sé de qué me habla.

—Pero ¿cómo sabía quién era yo?

—Porque don José Antonio, el notario, me dijo que iba a llamar.

En ese momento —y menos mal— sonó el teléfono de la editorial. Celia se levantó y fue hacia su mesa para cogerlo. No pude evitar que me sacudiese por completo un miedo atroz, la seguridad de un peligro inminente. Seguro que era papá, desde el otro lado de la muerte, que pedía hablar conmigo para darme un tirón de orejas por no ser más espabilado. Pero no, claro que no era papá. Era algo del trabajo.

—Creo que no lo entiendo bien. Yo no conozco a ese notario del que me habla.

—A ver. Aquí, hace unos años, había una notaría. Hace quince años que cerró y entramos a vivir aquí mi hijo, mi nuera y yo, que soy viudo, ¿sabe?

No contesté a su pregunta. No me interesaba lo más mínimo la vida de ese señor con el que estaba manteniendo aquella conversación increíble. Estaba seguro de que si le contestaba o le decía cualquier cosa iba a empezar a hablarme de su viudez o de sus hijos o de su nuera o de su cocina o de Dios sabe qué.

—Y el caso es que el primer año seguía llamando gente a este número preguntando por el notario, por don José Antonio, y yo, claro, estaba ya más que aburrido dándoles el número nuevo todo el tiempo, ¿comprende?

Sí, ahora empezaba a entender algo. Un poco. Cuando papá había escrito aquellos números en el recorte del periódico, había añadido aquel teléfono del notario, del tal José Antonio del que me hablaba aquel hombre, con la idea de que yo lo encontrara y llamara después de su muerte. Esto implicaba que el notario tenía alguna clase de documentación —a eso se dedican los notarios— que mi padre quería hacerme llegar y que, por lo que fuese, necesitaba el concurso de tan alto colaborador. Y *lo que fuese* no era cualquier cosa. *Lo que fuese* estaba depositado en las manos de un notario. La idea me gustaba y me preocupaba al mismo tiempo. Porque, como cuando había descubierto la caja, me asaltaban cientos de preguntas de las que no sabía la respuesta. Lejos de aclararme el asunto, como me había parecido hacía solo unos instantes, sentía que todo se estaba enredando más y más de una forma además totalmente incomprensible. Ya no me valía aquello de que a papá le gustaba jugar, que así la cosa era más interesante, que qué simpático haciendo(me) esta última travesura ahora que ya estaba muerto... En aquel momento de angustia y desesperación, ninguno de aquellos pensamientos que me remitían a aquellos tiempos infantiles de adivinanzas y de investigaciones detectivescas y divertidas valía. Hablar de un notario implicaba que estábamos enfrentándonos a un asunto probablemente muy serio, unos papeles o fotos o algún material que solo podía (o debía) custodiar un notario. Ni siquiera valía, yo que sé, la caja fuerte de un banco o, como en el libro de Stevenson y tantos clásicos de la literatura de aventuras y de piratas, que lo dejase debajo de un árbol que yo tuviera que encontrar con la ayuda de un plano antes de que alguien me diese la Marca Negra y me dijera «Tienes hasta las diez». No. El material era tan delicado, o peligroso, que mi padre había recurrido a un hombre de leyes para esconderlo hasta que llegase el momento y así acabara en mis manos. Aquel pensamiento me espantaba, pues era muy consciente de que el recorte era del año 1972, es decir, cuando solo tenía seis años, y por lo tanto era difícil imaginar que mi padre ya estaba trazando aquel plan y guardando aquel recorte, depositando lo que fuera en el notario y pensando ya en mí a pesar de que era tan joven. Confiar todo al comportamiento futuro de un adulto que aún no lo es y que tampoco sabemos cómo va a ser me parecía un plan disparatado. ¿Acaso iba a saber él que íbamos a tener la relación que tuvimos, aquella amistad, toda aquella confianza como para albergar, cuando no sabía cómo iba a ser yo, tendía la seguridad de que cuando él muriese yo me iba a hacer cargo de aquel asunto?

César seguía hablando:

—Pues don José Antonio se puso en contacto conmigo hace unos días para decirme que iba a llamar. Yo no entendía nada porque aquel suplicio, porque fue un suplicio, de que llamara la gente esperando que les hablase un notario y yo diciéndoles que no una y otra vez, que allí ya no había ningún notario, que aquella era una casa particular, pues eso, ¡que pensé que aquella tortura, porque fue una tortura, ya había terminado hacía mucho! Y, por cierto, que nunca entendí por qué no se quedó con el número de teléfono, como hace todo el mundo, qué tonto, un notario con estudios, sí, pero qué tonto. La de trabajo que me habría ahorrado. Al parecer él sabía que usted no tenía el número actual de su oficina y le dije que si podía llamarle él directamente que por qué me metía a mí en medio. Pero dijo que no, que tenía que hacer las cosas así, como se las habían mandado hacer, y que me iba a llamar algún día un tal Toni. Y yo, como soy un mandado, obedezco a todo el mundo, y ¡hala!, ¡venga! Tome nota, que le doy el teléfono al que tiene que llamar.

Extendí la mano hacia Celia pidiéndole un bolígrafo. Ella tenía la mirada fija en el ordenador. Me dio el boli y, muy en bajo, dijo:

—Mail de tu padre. Acaba de entrar.

Tomé nota del teléfono del notario. La mano me temblaba y los números me salieron torcidos, incompletos, inseguros y muertos de miedo. Le di las gracias a César y colgué.

El mail era muy corto:

«Felicidades. Ya estás cerca. Fíjate en la cruz y en el fuego».

26

Celia desnuda y yo desnudo. Nunca me había imaginado que podía existir tanta complicidad entre dos personas que acaban de iniciar una relación. No sé cómo habrá sido la experiencia de Celia con otros hombres, pero sí que sé cómo fue la mía con otras mujeres. Con pocas tuve algo que durara más de dos o tres estancias en camas de hotel o en mi casa o en las suyas. Y yo ya lo sabía nada más empezar, en el instante del primer «yo también te quiero», esos «te quiero» que sabemos que no decimos completamente de verdad, que quizá los decimos en el momento exacto en el que la magia del amor está funcionando, pero que no son declaraciones de eternidad. Al menos en mi caso nunca lo han sido. Por miedo, me imagino. Falta de madurez, probablemente. Es obvio que he dejado pasar personas fantásticas que pudieron proporcionarle a mi vida muchas y muy buenas cosas. Quizá se me escapó la mujer amante, madre y compañera de vida, pero eso fue así y ya no hay vuelta atrás. Ahora era Celia quien estaba desnuda a mi lado y yo al suyo, y ella era lo único que me importaba en aquel momento. No le habíamos dedicado ni medio segundo al mail de quien estaba suplantando a mi padre, o quizá, debería decir, a quien estaba haciendo el trabajo que mi padre le había encomendado. Tampoco hablamos del asunto del notario al que tenía que llamar. No hablamos de aquel correo electrónico alucinante que había llegado justo en el momento exacto en el que yo había conseguido hacerme con una pieza más de aquel rompecabezas imposible de entender. Lo único que hicimos fue imprimirlo y apagar los dos ordenadores. Me acerqué a ella y la besé con dulzura, muy tranquilo, pero con decisión, aferrando su cuerpo para decirle con ese abrazo: te quiero y lo sabes, me quieres y lo sé. Fuimos a mi casa y lo único que importaba era aquel sosiego que los dos sentimos durante el tiempo que dedicamos a hacer el amor. Eso era lo único concreto y real, como si no hubiera nada más en el mundo. Solo existían nuestros cuerpos cansados y felices sobre la cama. Viéndonos y mirándonos. Hablándonos. Riéndonos de todo y de nada, sin un por qué ni un por qué no. Sin hablar de nada en concreto y abarcando todo el universo con nuestra piel.

Con otras mujeres, después del sexo descansaba en la cama, siempre callado, como si las palabras no me saliesen en esos momentos siempre confusos y a veces, finalizado el momento de pasión, incluso incómodos. Por lo general me quedaba callado, o quizá dormía o fingía dormir esperando que ella tomase la iniciativa de irse. Pero esta vez los dos estábamos sobre las sábanas, empapados de amor, dándonos cariño, disfrutando de la fortuna de que nos hubiésemos encontrado; de tener piel y boca para mimar al otro.

Dijo que tenía hambre y se fue hasta su bolso. Uno enorme que llevaba siempre consigo y sobre el que yo hacía chistes. Ella siempre respondía con aquel tópico de que una mujer necesita llevar muchas cosas encima para ser realmente una mujer.

De la bolsa sacó un paquetito envuelto en papel anaranjado y una especie de lazo de cuerda.

—Lo cogí muy temprano en la pastelería que está debajo del trabajo. Unas empanadillas para matar el hambre después del ejercicio.

Dijo aquello con una sonrisa pícara y hermosa. La última palabra de la frase sonó a miel. A libertad y aire fresco. A despreocupación y amor.

Mientras abría el paquete, sacó de la bolsa una botella de un litro de agua mineral y unas servilletas de papel.

—No sé por qué, pero tenía como la intuición de que hoy íbamos a comer aquí y no en el bar, como todos los días.

Entonces exploté y me reí con ganas. Puedo jurar que aquella risa era la expresión completa de mi felicidad en aquel momento pleno de mi vida. Y comenzamos a comer. Seguíamos sin ropa. Nos recostamos sobre la almohada grande con la que duermo y que nos sirvió de respaldo perfecto.

Nos comimos un par de empanadillas cada uno y bebimos agua. No había manjar más rico ni mejor restaurante que aquel.

Y juro que decidí que prolongaría aquel amor todo lo que pudiese.

Y juro que decidí que quería que aquello no se terminase nunca.

Y juro que me di cuenta de que, por primera vez, estaba enamorado de verdad.

Celia apoyó la cabeza sobre mi pecho. Yo la acariciaba y dejé que mis dedos jugasen con su pelo.

—¿Quién crees que está detrás de todo esto? —preguntó.

—Mi padre, está claro.

Ella giró la cabeza para mirarme con expresión dura, casi de riña.

—No, en serio. ¿Quién crees que envía los mails? No es normal que siempre lleguen justo después de un nuevo avance en la investigación. Siempre que vamos por buen camino aparecen los mensajes. Mira, hoy mismo, en cuanto hablaste con el fulano ese..., ¿cómo se llamaba?

—César —respondí con los ojos cerrados, disfrutando de la textura de la piel de sus mejillas mientras me hablaba, como si yo no estuviese del todo allí.

—Eso, César. Vas y hablas con él, y mientras estás hablando entra otro mail felicitándote y diciendo que ya estás cerca.

Dejé de acariciarla y levanté su cabeza con las dos manos. La miré fijamente y le hablé, casi en susurros:

— Hasta hace nada eras tú la que se metía conmigo por darle alas a esta historia, decías que era mejor olvidarse de ella, ¿recuerdas?, cuando me llegaron los dos primeros mails, y mira ahora, estás totalmente enganchada.

No dijo nada y volvió a posar la cabeza sobre mi pecho. Yo seguí hablando:

—Quizá el notario nos dé la pista definitiva para acabar con todo de una vez. Quizá entendamos por fin lo que nos quiere decir sobre la mujer esa y el incendio, por qué ambas cosas están relacionadas.

Nos quedamos en silencio unos segundos. En aquel momento no había mucho más que decir o hacer. Lo único, llamar al notario e, imagino, pedirle una cita para que me diese, o dijese, lo que me tuviera que dar o decir. Estaba claro que él era la clave y que tenía eso que debía llegar a mis manos.

Además, ahora teníamos un nuevo mensaje, esta vez aún más confuso: *Felicidades. Ya estás cerca. Fíjate en la cruz y en el fuego.*

Otra vez, no tenía ni idea de a qué se podía referir. La primera parte sí que era clara. Me felicitaba y me decía que ya estaba cerca. Había conseguido llegar hasta el notario deduciendo el significado de aquellos dígitos, pero no sabía qué podía ser aquello de la cruz y el fuego.

—Lo del fuego igual es lo del incendio.

Lo que sugería Celia parecía razonable, pero lo de la cruz era más oscuro. Intenté recordar algún libro que tuviese en su título la palabra *cruz*, por ver si la cosa seguía por ahí: encontrar más libros para encontrar más pistas. Pero no fui capaz de acordarme del título de ninguno.

—Voy a llamar al notario.

Ante mí tenía a la mujer más hermosa con la que nunca había tenido la suerte de estar.

Apretó su pecho contra el mío.

—Toma, el cargador del móvil.

Lo cogí y lo posé sobre el colchón.

Después, la posé a ella.

27

Mucho más tarde, cuando Celia entró en la ducha, encendí el teléfono. Tenía una llamada perdida de casa de mi madre. En principio no tendría por qué alterarme por algo así, pero en segundos pasé de la quietud feliz del amor con Celia a un nerviosismo incontrolado y molesto. Saber que desde la casa familiar habían intentado localizarme me intranquilizaba de una manera inevitable. Era lógico (debería serlo) que mi madre, que acaba de quedarse viuda hacía unos días, quisiera hablar conmigo. Eso era lo lógico y lo normal. Pero nuestra relación ni era lógica ni era normal: era una relación hostil, dolorosa, triste, llena de reproches por su parte y por la mía. Perdí la cuenta de los agravios recibidos de su boca. E imagino que tampoco ella era feliz por tener un hijo al que consideraba ingrato, o idiota, al que ofreció un futuro glorioso en bandeja de oro y que este rechazó marchándose a vivir lejos, poniendo kilómetros de por medio, desechando una vida cómoda y regalada para vivir en el disparate en el que según ella estaba viviendo.

Un hijo que también le negó su amor.

Llamé y, por segunda vez en lo que iba de día, deseé con todas mis fuerzas que nadie me cogiese el teléfono. Me senté bien sobre la cama, como preparándome para recibir cualquier noticia desagradable que manejaría mejor en una postura rígida. Celia cantaba en la ducha y su voz ofrecía algo de calma. Cuantos más tonos del teléfono pasaban, más se me encogía el corazón.

Contestó Rosamari, cosa que me alegró. Me saludó con un «hola» alegre que sonó de verdad y que ahuyentaba de alguna forma el fantasma de malas noticias.

Vi salir a Celia con una toalla recogiéndole el pelo. Hermosa en su desnudez de primavera y vida. Me sonrió y supe que todo iba a ir bien. Pregunté por mi madre.

—Salió.

—Entonces llamaré en otro momento. Es que tenía una llamada perdida suya.

—No. He sido yo la que te llamó.

—¿Qué pasa? —dije, sorprendido.

—Esta mañana llegó un paquete de la empresa de pompas fúnebres, ya sabes, los que se ocuparon del entierro de tu padre y, no sé, no me parece que tu madre esté para atender esas cosas, ¿no crees?

—Sí, claro, supongo que será la factura. ¿A quién va dirigida?

—No la he abierto. Espera que coja el sobre. —Volvió al cabo de unos segundos—. No es un sobre, Toni, es un paquete, y viene a nombre de la familia de don Antonio Correa.

—Claro, es normal.

—Espera. —Volvió a posar el teléfono y la oí rebuscar del otro lado—. ¿Sigues ahí?

—Sí.

—Un momento, que hay una nota.

Me la leyó. Básicamente, la empresa de pompas fúnebres, después de una breve introducción en la que nos daban el pésame, nos informaba de que enviaban una serie de efectos personales que los encargados de preparar el cadáver para las exequias habían encontrado en el traje del difunto y que, entendían, tenían que pasar a nuestra propiedad.

—Está bien, Rosamari, ¿qué es?

—Pues no lo tengo muy claro. Por un lado está la cadena de oro de tu padre, ya sabes, esa que siempre llevaba colgada.

Me acordaba perfectamente de esa cadena de oro. Desde que tengo memoria, papá siempre llevó colgada una cadena de oro con una placa en la que, además de su nombre y dirección, figuraban su grupo sanguíneo y su Rh. Tuve una de esas cuando era pequeño, pero la perdí, para disgusto de mi madre, pues en la misma cadena llevaba un crucifijo, también de oro, que ella me había regalado y que al parecer había sido de mi abuelo. En aquellos tiempos, se decía que eran para que, en caso de hospitalización urgente, los médicos supieran de inmediato esos datos por si había que proceder a una transfusión... Hoy sabemos que esas placas no sirven en realidad para nada y que si hay que practicar una transfusión antes se debe hacer una prueba para saber cuál es el grupo y el Rh, pues lo que diga una placa puede ser perfectamente falso.

—¿Qué más hay?

—Pues está la cartera de tu padre. Hay un billete de cinco euros dentro —él siempre igual: nunca llevaba dinero encima— y un montón de papeles.

—¿Qué clase de papeles?

—Papeles del banco. Un montón. De hecho no sé ni cómo podía cerrar la cartera con tanto papel dentro. —He ahí otro clásico: la cartera siempre a reventar.

—Sí, ya sabes cómo era papá, un desastre.

—Sí, lo recuerdo perfectamente. Pero ¡es que son muchos, Toni!

—¿Cómo que muchos?

—Sí, muchísimos. Como cuarenta o cincuenta o así. No sé. Una burrada de papeles.

Intenté imaginarme la cartera de papá con tantos papeles dentro. Eso, desde luego, era demasiado descuido incluso para él. Además, que fuesen papeles del banco indicaba que papá tenía dinero o se ocupaba de asuntos de dinero. Y eso sí que ya no me cuadraba en absoluto, porque papá era el hombre más desinteresado del mundo. No le había oído hablar de dinero en la vida. No creo que le preocupase mucho esa cuestión. Probablemente porque no le faltaba o porque, sin más, su cabeza pertenecía a otro mundo. Sabía que de esos asuntos se encargaba don Pedro, el secretario de mamá, que una vez al mes venía a despachar con ella e —imagino— a ponerla al cabo de la situación financiera de la familia. Papá no se ocupaba de esas cosas; como acababa de contar Rosamari, siempre llevaba encima poco más que para un café.

—¿Qué papeles son esos?

—Son extractos del banco, notificaciones..., cosas así. De la Caja de Ahorros.

Celia se sentó a mi lado y me acarició el pelo. Sentí su olor a jabón y perfume. Mis sentidos volvieron a despertar. Me dio un beso en la mejilla y volvió al baño.

—Mira, Rosamari, necesito que los mires con calma. Dime cuál es el último papel, el más reciente, y qué cantidad figura ahí.

—Espera..., el último que hay es una notificación de la Caja, de hace ocho días. ¿Te digo la cantidad?

—Sí.

Cuando Rosamari me dijo «setenta mil euros», tampoco me sorprendí. Sabía de sobra que en las muchas cuentas de la familia siempre había grandes cantidades.

—Pero, Toni —la forma en que Rosamari pronunció mi nombre me hizo adivinar que se avecinaba un pequeño desastre; y no me equivocaba—, aquí hay algo que no entiendo.

—¿Qué no entiendes?

—Esta cuenta con esta cantidad...

—No hay nada de raro en ello, Rosiña, lo raro es que mi padre anduviese con todos esos papeles encima. Que yo sepa, a él no le interesaban estos asuntos.

—Sí, lo sé, pero lo raro no es eso, sino que figura él solo como titular de esa cuenta.

Rosamari llevaba razón. Era de verdad muy raro. Yo había oído desde chiquillo que las cuentas de la familia estaban a nombre de los dos. La de veces que había oído a mi madre maldecir y criticar a la gente que hacía separación de bienes... Para mi madre —una enemiga a muerte del divorcio—, la unión hombre-mujer era del todo y para siempre. Una cuenta a nombre de mi padre era, además de sorprendente, absolutamente inexplicable.

Pero lo peor no era eso.

—Lo más raro, Toni, es dónde está domiciliada esa cuenta.

Contuve la respiración. Celia, ya vestida, se ponía los zapatos y me miraba.

—¿Qué quieres decir?

—Aquí aparece una dirección que no es la de vuestra casa.

O lo que es lo mismo: que papá tenía, por lo menos, otra dirección, otra casa, otro sitio en el que vivir.

No sabía si atreverme a preguntar:

—¿Qué dirección figura ahí?

—Calle Carballeira, 25, 2.º piso.

Casi no me salió la pregunta.

—¿De Vigo?

—Sí, de Vigo.

Con mi mejor voz, las piernas temblando, dije:

—Mañana tengo que visitar a un notario en Vigo. Me pasaré por casa a ver a mamá. —Sentía que debía verla a pesar de todo—. Por favor, no le digas nada de este paquete. Querría quedarme con la cadena de mi padre y con esos papeles e investigar un poco a ver qué pasa con eso, que es mucho dinero.

Rosamari respondió exactamente como sabía que lo haría.

—No te preocupes, no le diré nada.

—Nos vemos mañana.

Colgué el teléfono y me levanté. Celia se acercó a mí y me abrazó. El tacto de su cuerpo me dio la fuerza suficiente para que la frase me saliese sola:

—Ya sé qué puerta es la que abre la llave que nos dejó mi padre.

28

No me sorprendió que el notario me conociera. No me sorprendió que me dijese que fuese allí al día siguiente, sábado, aunque la notaría no abriera. No me sorprendió que me dijese que estaba esperando mi llamada.

En realidad ya nada me sorprendía.

—¿Cómo has tardado tanto en llamar, Toni? —No contesté, ¿para qué decir nada?—. Desde luego, tu padre te conocía muy bien. Cuando le dije que me parecía arriesgado que tuvieses que descubrir que tenías que venir a verme de la forma tan retorcida que me lo propuso, no sabía lo que decía. Me pareció un disparate, y así se lo dije, pero, mira, ¡aquí estás! Como él aseguró.

—Entonces, ¿usted sabe quién es la mujer?

—¿Qué mujer?

Acababa de meter la pata hasta el fondo, así que no contesté. Pero él se dio cuenta al instante de mi inquietud. Quizá por eso, y para que no me turbase más, siguió hablando:

—Escucha, Toni, tu padre estuvo aquí hace un montón de años. Hace más de veinte que nos conocíamos. Éramos muy buenos amigos desde hace mucho tiempo y él me encomendó que te entregase un sobre en cuanto él muriese. —Me mantuve en silencio. Entre otras cosas porque no sabía qué decir—. Creo que pensó que iba a durar más. Su corazón estaba delicado, pero no creo que contase con durar tan poco... En fin, lo siento mucho. Te habría llamado, pero fue él quien me pidió, y casi me hizo jurar, que esperara a que lo hicieses tú. Cuando le dije que cambiaba de despacho y de teléfono, y que entonces teníamos que revisar el procedimiento, por decirlo de alguna forma, él fue muy claro e insistió en que no, que tú eras un tipo muy espabilado y que ibas a encontrarme igual, y que así todo sería más «interesante» —hizo una pausa y terminó—, y yo no sé a qué se podía referir con eso de interesante, pero, sea como fuere, estás aquí y espero que todo haya sido, en efecto, interesante.

No podría imaginarse hasta qué punto...

En mi cabeza rebotaba, y dolía en cada viaje a un lado y a otro del cerebro, ese nuevo dato acerca de una enfermedad cardiaca, por lo visto gravísima, que padecía mi padre y de la que yo no sabía nada. Sin tener ningún dato que confirmase mi conclusión, decidí que aquella mujer de las fotos era la única que lo sabía.

No prolongué mucho más la conversación. Quedamos en que me pasaría temprano por su despacho al día siguiente, aprovechando que tenía que acercarme hasta la casa de mi madre.

Antes de despedirnos, le pregunté algo que podría ser peligroso. Pero no perdía nada.

—¿Sabe usted algo sobre una cruz con fuego, o una cruz de fuego, o algo similar?

Se mantuvo callado un par de segundos.

—La verdad es que no me suena de nada. ¿Es alguno de los libros que tenía tu padre en el despacho?

Esa pregunta reforzaba que el notario no me había mentido y que eran amigos desde hacía mucho tiempo.

—No lo creo. Gracias, José Antonio, nos vemos mañana. Le agradezco mucho que me atienda en sábado.

—Es lo mínimo que puedo hacer por tu padre.

Celia y yo salimos de casa y caminamos sin rumbo fijo. Los pies nos llevaron a la terraza de una cafetería. Hacía sol y le propuse tomar algo.

Me cogió de las manos y yo vacié mi corazón en sus ojos. Y salió toda la angustia.

—Estás cansado —me dijo.

—Sí, lo estoy.

—Es normal. Esto es para volverse locos. ¿Qué más nos tendrá preparado?

Celia tenía parte de razón. Sí, estaba cansado, pero no por el dolor, que era real, de la muerte de mi padre. Ni siquiera por el desgaste nervioso que estaba suponiendo toda aquella investigación ni por el descubrimiento de esa doble vida de papá con otra mujer, a cada momento más obvia. Él, claramente, no me la quería esconder. Ahí estaban las fotos en las que me lo explicaba. Lo que me dolía era lo que me acababa de comentar el notario sobre la enfermedad de papá, que al parecer se sabía —o por lo menos él sabía— desde hacía mucho tiempo. Mi padre era consciente de que tenía un problema de salud grave. El notario había sido claro: él pensaba que iba a durar más. Vale. Mi padre sabía que podía morir en cualquier momento. El infarto —si es que fue un infarto; no hubo autopsia, se dio por hecho que eso fue lo que pasó— fue una sorpresa para todos salvo para, como mínimo, el notario. Estoy seguro de que tampoco lo fue para la mujer que vivía o vivió en la calle Carballeira de Vigo, me imagino que con él, y que, aunque no sabía por qué, me parecía evidente que tenía que ver con la imprenta que había ardido.

El alma dolía, sí. Dolía saber que aquel al que yo creía, además de mi padre, un amigo, me ocultase algo tan importante como su enfermedad. Quizá yo podría haberlo ayudado, haberlo acompañado a un buen cardiólogo, cualquier cosa, lo que fuera menos quedarme de brazos cruzados. Quizá, si hubiese compartido conmigo su problema, ahora estaría vivo. Quizá todavía nos aguardaran algunos años por delante y para nosotros.

Le dije todo eso a Celia con voz quebrada, débil y dolida, el espejo perfecto de cómo me sentía. Pero ella, sabia, se limitó a decirme algo que consiguió que lo viese todo de otra forma:

—Quizá entendió que era mejor que no lo supieras. Quizá la enfermedad no tuviera cura y él, para protegerte, precisamente porque te quería, prefirió no decirte nada. De hecho, si no se le hubiese escapado al notario, hoy seguirías sin saberlo. Si el notario lo dijo así, con toda naturalidad, es porque pensó que lo sabrías, que no era un secreto que él tuviese que guardar. En cualquier caso, nos vamos a enterar mañana. Además, ya sabes que la llave abre ese piso de Vigo y que tu padre vivía allí.

—Con esa mujer —la interrumpí.

—Sí. O tal vez hace tiempo que no. Quizá ella ya no esté viva, eso no lo sabemos.

—Yo creo que sí —respondí rotundo—, porque es la única manera de entender que mi padre, después de muerto, me meta en esta historia. Creo que quiere que la encuentre, que la conozca, o quizá pretenda darle la oportunidad de conocerme. —La cara de Celia dejaba claro que no entendía—. Yo tampoco lo puedo explicar mejor que como lo acabo de hacer, pero así es como me siento. Llevo prácticamente sin dormir varios días, rompiéndome la cabeza e imaginando toda clase de posibilidades para darle algo de sentido a toda esta locura.

—La clave está en el notario, ya verás.

—Eso espero, aunque parece que a él eso de la cruz y el fuego tampoco le dice nada. En fin, ya veremos mañana. Primero visitaré a mi madre, quiero hablar con ella y supongo que estará en casa. Después recogeré la cadena de papá y los papeles del banco y luego iré al notario.

—¿Nada más? —preguntó Celia con tono de intriga.

—No te entiendo.

Posó la mano izquierda sobre las mías y con la derecha me pellizcó la mejilla, como se le hace a un niño pequeño al que se le va a decir algo tan evidente que resulta increíble que no lo descubra por sí mismo.

—Tienes la llave de un piso. —Me quedé callado, y no fingía. No entendía lo que quería decirme—. Está claro que tu padre quiere que entres. —Abrí un poco la boca, mis ojos, asombrados, hablaron por mí—. Tu padre te envió la llave para algo.

Llegó el camarero para preguntarnos qué queríamos tomar.

Al oído, Celia, con voz de mariposa, me susurró que pidiera algo contundente, que esa noche tampoco iba a dormir mucho...

29

No eran ni las ocho de la mañana y ya estaba saliendo por la puerta. Había quedado con el notario a las doce, así que podía ir con calma para tomarme un café antes de ir a mi casa —me costaba pensar en esos términos: «mi casa» era la de Coruña, no la de Vigo—. Dejé a Celia durmiendo. Era increíble que no se hubiese despertado a pesar de haberme levantado tan temprano. Dormía como un tronco, sin duda, y por decir un tópico, con la conciencia muy tranquila. Y por añadir otro: agotada después de una noche movidita. Era una mujer increíble, maravillosa, perfecta para mí en todos los sentidos. No solo era guapa. No solo era apasionada hasta la locura en el amor, sino que además estaba siendo amiga y acompañándome, con la mejor de

las energías, en esta batalla rara que estaba manteniendo con mi padre muerto desde hacía una semana
en busca de una verdad que —de eso estaba seguro— lo cambiaría todo para siempre.

Cerré la puerta, feliz de saber que Celia se quedaba allí, en mi casa, y sobre todo de saber que
cuando volviera seguiría en mi vida.

Fui todo el trayecto en compañía de los Beatles, esos viejos amigos que llevan conmigo toda la
vida, también sin fallarme nunca, diciéndome, en
muchas ocasiones, las palabras que necesitaba oír
para no decaer y seguir adelante. Como ahora. Sonaba «Don't Let Me Down», una bonita canción de
amor compuesta por Lennon para Yoko Ono cuando comenzaban su relación y él estaba lleno de miedos
pensando que tenía que romper su primer matrimonio, lleno de inquietudes también por si la historia
que comenzaban juntos salía mal. Aquel verso, «I'm
in love for the first time», «Estoy enamorado por
primera vez», siempre me había impresionado. Decía que a pesar de que creía haber estado enamorado
muchas veces, pese a haber estado con muchas mujeres, aquella era la primera vez que con total seguridad sentía que lo estaba, que otras veces no había sido
amor, sino otra cosa. Era así como me sentía respecto a Celia. Enamorado por primera vez. A diferencia

de otras historias de amor que había vivido antes, sabía que esta era distinta, que no tenía nada que ver
con ninguna otra ni probablemente con ninguna que
pudiese vivir en el futuro.

Debió de ser por eso que aquella mañana me
parecía que todo tenía más luz. Aquella sensación
de felicidad me acompañó durante todo el viaje, por
lo que organizar las ideas fue un poco más fácil.

Fui repasando lo que me esperaba aquel día.
Primero aparcaría cerca de casa. Se halla en Teis, uno
de los barrios periféricos de la ciudad en el que convi-
ven las casas baratas del franquismo, fuente de conflictos, nido de drogas y otros problemas, con las casas de «buena familia», como la mía. La nuestra, en la
calle Purificación Saavedra, era una finca grande, cerrada por un muro enorme de granito, con una vivienda de dos plantas y un garaje en el que cabían
perfectamente dos coches. También el mío, pero prefería dejarlo fuera. Supongo que era mi manera, algo
infantil, de reafirmar ante mí mismo que yo no era de
allí, que no pertenecía a esa casa, que era de otro sitio
y que estaba de visita, a pesar de tener llave para entrar y, sí, una plaza amplia de garaje esperándome.

Aparcaría e intentaría entrar con la mejor de las
disposiciones, lo más tranquilo que pudiera y dispuesto a que mi visita fuese corta y, a ser posible,

agradable. Me mentalicé intensamente durante la hora y pico de viaje, pues casi siempre las cosas con mi madre terminan mal. Ella podía salir por cualquier lado y en cualquier momento, decir cualquier cosa que me fastidiara, incluso echarme de allí a gritos. Aunque lo más probable era que simplemente no me hiciera mucho caso, que me respondiese con monosílabos a las cuatro preguntas rutinarias que yo le haría sobre su estado de salud y poco más, dándome así a entender que si me marchaba pronto, mejor.

Sabía que las cosas iban a ser así.

Como siempre han sido.

A pesar de estar seguro de esto, no me angustiaba en absoluto, porque yo iba a otra cosa. No iba allí a pelearme con ella, sino a por la cadena de mi padre, para quedarme con ella como recuerdo personal —no iba a tener mucho más, al menos mientras mi madre viviera; quizá me ofreciese llevarme los libros, ya que ella no los quería para nada—, y sobre todo me interesaban esos recibos del banco, la información valiosa que podría sacar de ahí. Tenía muchas preguntas en mente, porque era mucho dinero el que papá tenía en esa cuenta domiciliada en otra casa diferente de la nuestra. La casa que abría la llave que me había dejado, estaba seguro. Sobre cómo era posible que hubiese tanto dinero, pensé que lo más probable era que mi padre ingresara parte de la nómina directamente en esa cuenta. Para él sería muy fácil ir a Administración y pedir que le metieran parte del sueldo en una cuenta y parte en otra. Nadie iba a hacer preguntas sobre eso. En fin, ni sobre eso ni sobre nada. Mi padre era el jefe, el jefe eterno del *Eco,* y hacía y deshacía a voluntad, sin que nadie cuestionase nada.

Mi plan era, como había acordado con Celia, ir primero a casa de mi madre a recoger la cadena con la placa y los papeles del banco y después acudir directamente al notario. No sabía cuánto podría demorarse mi estancia allí. ¿Se limitaría solo a darme lo que me tuviese que dar o tendría algo más que contarme?

Sabía que no conseguía mucho preocupándome, ni por eso ni por nada, pero lo que sí que me angustiaba y me quitaba las fuerzas era no ser capaz de imaginarme qué sería lo que me esperaba después de pasar por mi casa y el despacho del notario, es decir, cuando fuese al piso.

¿Y si encontraba a alguien dentro? ¿Y si estaba la señora de las fotos, la amante de papá, su otra mujer?

Esas preguntas asaltaban mi mente, en teoría como una preocupación, pero en el fondo deseaba que algo así sucediese. Que ella estuviera dentro. Y sería, desde luego, lo más práctico. También lo más rápido. Entro. La señora está, por ejemplo, en zapatillas viendo la tele, esperándome. Segurísima de que voy a ir porque —está claro— mi padre así le dijo que sucedería. Así que abro la puerta, oigo la tele encendida en el salón, me acerco hasta allí y desde la puerta digo: «Hola, ¿qué tal?», y ella saluda, natural, cuando me ve: «Hola, Toni». «Hola», repetiría yo, y ella completaría: «Tu padre acertó cuando dijo que acabarías por encontrarme... ¿Te apetece un café?».

Y entonces lo sabría todo.

Llegué a Vigo y me encaminé a casa.

Abrí la cancilla y, como si me estuviese esperando desde hacía siglos, mi madre salió, arrastrando las piernas, seria, como si me odiase, a recibirme y darme dos besos.

Amargos, profundamente amargos.

30

Le pregunté cómo estaba y respondió que ella siempre estaba bien, para añadir, fiel a su forma de ir por el mundo:

—Enfermar es de gente débil. —Me miró muy seria y siguió—. ¿Por qué has venido?

Esa es la clase de pregunta que no se le hace a un hijo que vuelve a casa. Se le hace a un extraño, a un vecino pesado, a un enemigo..., pero no a un hijo. Preguntarme por qué voy a verla, y además con ese tono de voz, con la frente arrugada y los puños apretados, era dejar claro lo que todos sabíamos, o por lo menos lo que sabíamos ella y yo, aunque no pudiésemos verbalizarlo por eso de la buena educación y las formas: que yo no era bienvenido allí.

Quizá porque todos esos pensamientos me bullían en la cabeza di la respuesta equivocada.

—Vine a verte, quería saber si necesitas algo. Eres mi madre y me preocupo por ti.

Se colgó de mi brazo con la fuerza suficiente como para que mi cuerpo supiese sin ninguna duda que entrábamos en casa, quisiera yo o no. Rosamari estaba en la puerta; sonrió y respondí al gesto con otra sonrisa.

Entramos y fuimos al salón. Ella se sentó en el sofá, el mismo en el que se había sentado toda la vida, uno marrón claro que, hasta donde alcanzaba mi memoria, estaba desde siempre en el salón. Yo lo hice a su lado, y quien no supiese nada de nosotros contemplaría, incluso con emoción, la bucólica y doméstica escena de la reunión entre un hijo que vive lejos y ama a su madre y la madre que, cansada y medio enferma, se deja querer por el hijo amado que vive tan lejos y que viene a verla llenito de amor.

Rosamari me preguntó si quería tomar algo. Le dije que por favor me trajese agua fría, pues hacía mucho calor.

—Fría te va a hacer daño, mejor tráesela del tiempo —le ordenó a Rosamari.

—Siempre estás igual, mamá —le respondí procurando que el volumen de mi voz no aumentase—. Me parece que ya soy mayor para saber si tomo agua fría o no, ¿no crees?

—Sí, ya no eres un niño, pero por lo visto no me vas a hacer abuela nunca. Tu padre murió sin un nieto. A ver a quién le vas a dejar la herencia. Te la va a robar una cualquiera como sigas haciendo el tonto de esa forma. Ya te veo de viejo casándote con una lagarta más joven que terminará quitándotelo todo.

Cualquier otro día ya la habríamos liado a esas alturas de la conversación. Porque nosotros la armábamos por cualquier cosa, y muy rápido. El rencor entre los dos era tan grande que todo valía para hacernos saltar. Si no fuera porque estaba dispuesto a no discutir con ella, por una simple cuestión de proteger mi propia salud mental, entendería aquel comentario como lo que probablemente era: un ataque directo, un reproche, una queja, una provocación.

—¿Tienes novia o sigues igual de solo que siempre? Porque tú, hijo mío, vas a morir solo.

Le contesté, pero sin mirarla, que no —por supuesto que no le iba a hablar de Celia—. Después de responderle me puse de pie reprimiendo las ganas de explicarle que estar soltero no quiere decir estar solo, que no hay que estar casado para sentir el amor de muchas personas, que puedes estar casado, como lo estaba papá, y en el fondo sentirte muy solo y tener que ir a buscar por ahí lo que no te dan en casa. Pensé seriamente decirle eso y comprobar la cara que se le quedaba después. Aunque lo más seguro era que no se inmutara. Supongo que no le habría gustado oír tal cosa si se la dijera, pero tampoco la imagino perdiendo los papeles por algo así. Por otras cosas sí. En el pasado había perdido las formas muchas veces conmigo. Cuando le dije que me iba a la Universidad de Santiago a hacer Filología, por ejemplo. O cuando proclamé a gritos que no me importaba en absoluto el periódico ni seguir la tradición familiar y que quería buscar mi propio camino en la vida. Por ese tipo de cosas sí que perdía los nervios la gran señora. Porque eso sí que le afectaba directamente, tenía que ver con ella y tocaba su vida de una forma muy directa. El resto no. Discutimos por todas y cada una de las grandes decisiones de mi vida. Como nos peleamos, y de qué manera, por asuntos políticos, cuando comenzaba aquello que los historiadores llamaron la Transición y llegaba la democracia. Yo hablaba entusiasmado, con toda mi pasión de adolescente, de los cambios que tenía que haber y que obviamente a ella ni le gustaban ni le gustan, ni los aceptaba ni los acepta, incluso hoy. Discutimos, sí. Por eso y por cualquier cosa, daba igual el motivo. Nuestra vida fue una continua e inacabable discusión, sabedores ambos de que la riña no nos iba a llevar a ningún lado. Pero aun así nunca hicimos nada por evitarlas. Yo era muy joven cuando acepté que con ella no había forma y me imagino que ella decidió lo mismo sobre ese hijo idiota y desagradecido que le había tocado en suerte.

Así que no dije nada ante aquel ataque por el asunto de mi soltería. Me levanté y eché a andar por delante de la biblioteca, viendo algunos de los libros de papá, pocos en comparación con los que tenía en su despacho.

—Si quieres, te los puedes llevar todos. Ya sabes que yo no los voy a leer.

—Lo sé, nunca te gustó que papá tuviera tantos, que coleccionase estas maravillas. Por eso se llevaba los que más le gustaban a su despacho, así no tenía que oír tus quejas.

Por fortuna, Rosamari apareció con el agua. Fría, como le había pedido.

—Otro día vendré por ellos, si no te importa tenerlos aquí un poco más. Total, después de tantos años, unos mesecitos más no van a matarte. —Estaba subiendo peligrosamente el tono de la conversación, quizá era yo quien buscaba pelea—. Después de todo, estoy seguro de que a papá le gustaría que me quedase con ellos y a mí me apetece tenerlos conmigo —aparté la mirada de los libros, me giré y concluí, rotundo—, pero eso será más adelante. Hoy lo que quiero saber es cómo estás, si necesitas algo o si puedo ayudar en alguna cosa que esté en mi mano. —Hice una pausa, cogí aire y terminé—: Por mí que no sea.

Su mirada irónica me hizo entender al momento dos cosas: por un lado, que no se creía ni una sola palabra de lo que acababa de decirle y, por otro, que era mejor que aquella conversación terminase cuanto antes. Sí, a mí ya no me quedaba nada más por hacer en aquella casa. De hecho, hacía muchos años que ya no me quedaba nada más por hacer en aquella casa.

Estaba harto de diplomacias.

Me bebí el vaso entero de aquella agua fría y después se lo devolví a Rosamari completamente vacío, feliz por mi —infantil— triunfo de beber aquella agua casi congelada. Lo único que deseaba era irme enseguida de aquel salón, de aquella casa, de aquella madre que sabía que no me quería.

—Por cierto, hay que reclamarle unos libros a una señorita que estuvo aquí hace un par de meses.

No sabía de lo que me hablaba.

—¿Una señorita?

—Sí, una señorita. Una mujer, vamos. Más o menos de tu edad. Hace unos meses estuvo aquí una chica enviada por tu padre. Me llamó desde el periódico para decirme que iba a venir una muchacha a coger unos libros y que ya los devolvería. —Se alisó la falda. Hablaba todo el tiempo mirando al suelo. Ninguno de los dos éramos capaces de mirarnos directamente a los ojos—. Pero no los devolvió. Y eran de esos viejos encuadernados en tapa dura que son bastante caros. Así que hay que pedírselos, que no es cosa buena que una desconocida se quede con algo que es nuestro.

Rosamari y yo nos manteníamos quietos en la puerta del salón. Vi que ella tenía algo en la mano. Tenía que ser la cadena y los papeles del banco que yo había venido a buscar.

—¿Dejó alguna nota o algo? ¿Sabes cuáles se llevó?

—¡Que iba a dejar nota! —Me miró con asco—. Pero ¿no sabes que tu padre era un descuidado que dejaba andar en la biblioteca al primero que se lo pedía? ¡Él y sus libros! ¡Cuántos no le devolvieron por confiado! La chica esa se pasó aquí toda la mañana, tocándolo todo, moviendo los libros para un lado y para otro, desordenándolos hasta que encontró los que quería, y se marchó.

Saqué las llaves del coche del bolsillo del pantalón, gesto suficientemente explícito para dejar claro que me iba.

—¿Cómo era esa mujer? —le pregunté por ver si me recordaba a alguien del periódico, aunque por la forma en la que había hablado de ella debía de ser una mujer joven y a esas no las tengo muy identificadas.

—Era una de esas golfas con pendientes por toda la cara.

Eso ya fue demasiado.

—¿Por qué siempre tienes que hablar mal de todo el mundo? ¡La llamas golfa solo porque no te gusta cómo viste o porque lleva pendientes en la cara!

Ahora sí que me miró. Esta vez sí. Rosamari extendió la mano, imagino que incómoda, pues ya sabía lo que estaba a punto de suceder y que, supongo, pretendía evitar con ese gesto. Alargó el brazo para que cogiese la bolsa con la cadena y los papeles del banco y me fuese de una vez.

—¡No sé cómo papá te aguantó tantos años! —dije levantando la voz.

Me arrepentí en cuanto lo hice. Me había pasado. O quizá no.

Ensayó un proyecto de sonrisa. No llegó a serlo, pero casi. Una sonrisa pequeña, leve y sutilísima, casi imperceptible, pero lo suficiente como para que me diese cuenta de que estaba a punto de mandarme un cuchillo, en forma de palabras, como había hecho tantas veces.

—Tu padre no era un santo, no sé si lo sabes...

Ahora no miraba hacia el suelo. Ahora no se alisaba la falda. Ahora me miraba directamente, desafiante, enfurecida. Muy consciente del altar en el que yo tenía a mi padre y, por lo tanto, del daño que me hacían sus palabras de desprecio.

Yo, por mi parte, dije lo que me salió directamente del corazón:

—Mira, no me extrañaría que papá tuviese una amante, otra mujer que lo hiciera feliz, alguien que lo quisiera como tú nunca lo quisiste.

Rosamari vino directa hacia mí. Imagino que era la única que mantenía allí la cordura.

—Toni, esto era lo que venías a buscar. ¿No tenías que irte a otro sitio? Venga, no te entretengas, que vas a llegar tarde...

A pesar de la poca sutil manera en la que hizo la pregunta —y en el fondo suponía una cierta *traición* por su parte, inconsciente e involuntaria, eso sí, pues estaba poniendo en conocimiento de mi madre que yo había ido allí por otros motivos—, mamá no dijo nada. Cogí el paquete y miré muy serio a Rosamari, casi enfadado, como si ella fuese la culpable de mi disgusto, cuando en realidad los únicos culpables éramos los de siempre, mi madre y yo, condenados eternamente a no entendernos.

Pero en aquel momento yo estaba literalmente fuera de mí. Lo único que quería era seguir tirando de aquel hilo que acababa de soltar en aquel salón de una forma descaradamente premeditada.

—Si yo fuera papá y tuviese que vivir con una mujer como tú, no dudes que me buscaría una querida.

Ella hizo el gesto de ponerse de pie y, como un resorte, Rosamari fue deprisa en su ayuda. Pero ella cortó su avance con un gesto enérgico, extendiendo el brazo en horizontal, como un policía dirigiendo el tráfico. El efecto sobre Rosamari, desde luego, fue instantáneo, pues se detuvo en seco, inmovilizada en mitad del salón.

—¡Quieta! —Medio encogida, la detuvo con una mirada que podría atravesarla—. ¡Aún puedo yo sola! ¡Aún no me vais a mandar a la tumba!

Pero lo cierto era que no podía. Le llevó un rato ponerse en pie.

La tenía ahora ante los ojos. La última vez que estuvimos tan cerca el uno de la otra debió de ser cuando yo era un bebé y quizá me llevaba en sus brazos. Debió de ser en algún instante inconsciente y lejano. Así de inconsciente y así de lejano.

Sonrió, dejándome ver sus dientes postizos tan blancos y artificiales y yo sabía que ahora sí, que la cuchillada que me tenía preparada venía directa a mi cabeza.

—¿Una querida? —Hizo una pausa teatral, casi de mofa. Estaba claro que quería que escuchase bien las palabras que le iban a salir, como hierros oxidados, por la boca—. Qué bien conocías a tu padre, Toni. Qué bien lo conocías...

31

Entré en el caos urbano de Vigo con una sensación de mareo, mitad ilusión, mitad histeria pura, aún machacado por aquellas palabras de mi madre, que me confirmaban de alguna forma que tenía noticia de lo de papá y la otra mujer.

Sabía de sobra dónde estaba la oficina del notario. No muy lejos de la casa que debía visitar después y de la que tenía la llave latiendo enfurecida en el bolsillo del pantalón, ardiendo de impaciencia, acrecentando mi ansiedad y mis ganas de llegar a la verdad de una vez. Por eso no dejaba de pensar en las fotos, en los correos electrónicos, en el notario, que estaba informado de la enfermedad de papá de la que yo no sabía nada... Y reflexionando sobre todo esto, conseguí no pensar en lo terrible que resultaba asumir que todo lo que sabía sobre mis padres se había convertido, a la luz de los nuevos datos, en una mentira, una farsa, un disparate. Yo creía conocerlos y resultaba que no era así. Ni siquiera a mi madre. Si alguien me hubiese dicho que ella iba a consentir esa situación, ser la otra de su marido, que él hacía su vida paralela viviendo, durmiendo a veces con otra mujer sin que pasase algo muy gordo, sin duda no lo habría creído aunque me torturasen. Pero la frase con la que me había despedido no dejaba lugar a muchas dudas. Mi madre sabía que papá tenía una amante y además me estaba dando a entender que consentía esa relación. Pero lo que no comprendía era por qué. Ella era suficientemente poderosa como para ponérselo muy difícil a esa pareja. ¿O quizá era que no se había dado cuenta hasta el final? Muchas preguntas y, como siempre, pocas —la verdad es que ninguna— respuestas.

Entré en el aparcamiento, apagué el coche y salí. Saqué la cadena de papá y me la colgué del cuello. Hacer ese gesto de pasarla por mi cabeza hasta colocármela en el pecho me produjo una sensación extraña. Le había visto esa cadena toda la vida, siempre colgada de su cuello grande de hombre voluminoso y pecho peludo. Toda de oro, no pegaba para nada con mi estilo de vestir, demasiado informal y juvenil a pesar de mi edad. La sensación era extraña, pero no incómoda, pues sabía que si alguien tenía derecho a guardar aquel objeto, de gran valor para mí, ese era yo. Seguramente cuando volviese a Coruña me la quitaría y la guardaría para siempre en algún cajón, con otros recuerdos suyos. Eso era lo más probable, pero en aquel momento concreto, como para darme fuerzas antes de verme con el notario y con lo que me iba a revelar, me apetecía tenerla en el cuello y llevarla conmigo.

La puerta del edificio en el que estaba la notaría se encontraba, como recordaba, a pocos metros del aparcamiento. Como era un primer piso, subí por las escaleras; sentía el corazón latir a mil por hora, y no precisamente por el esfuerzo. La oficina estaba en plena plaza de Compostela, en un edificio restaurado que por dentro destilaba modernidad a base de puertas de cristal que se abrían solas y ascensores de metal brillante, a pesar de que probablemente llevaba allí desde principios del siglo xx.

Pulsé el timbre. Dentro no se oía nada. Casi seguro porque el horario era de lunes a viernes por la mañana, como informaba aquel cartel que tenía a mi derecha.

El hecho de que me atendiese en sábado indicaba sin dudas la gravedad de la situación a la que iba a enfrentarme en unos minutos. Otras veces que, por distintos asuntos relacionados con la editorial, había tenido que tratar con notarios, solían ser muy escrupulosos con sus horarios y o te adaptabas o ya podías olvidarte. No obstante, aquel amigo de mi padre me abría su despacho en sábado para hacerme llegar un documento o algo que iba a ser definitivo para encajar todas las piezas de aquel loco rompecabezas.

Volví a llamar una segunda vez y la puerta se abrió por fin.

Don José Antonio resultó ser un hombre pequeño y extremadamente delgado al que el «don» le iba grande. Aun así, me apretó la mano con firmeza, mientras me llamaba por el diminutivo y me invitaba a pasar. Posiblemente por tratarse de un sábado y yo no ser un cliente, vestía un vaquero oscuro y una camiseta de rayas blancas y negras.

Me estrechó la mano y me pidió que lo siguiese hasta el despacho.

—¿Quieres tomar algo?

Dije que no y añadí —mintiéndole— que tenía un poco de prisa y que prefería que fuésemos directamente al asunto; curiosa palabra la que escogí: el «asunto», como si yo tuviese una mínima idea de qué iba todo aquello.

—Siéntate, por favor.

Entramos en su despacho.

La mesa, a pesar de lo grande que era, no tenía nada encima salvo un vade y una pluma. Detrás del notario había una ventana, también muy grande, tras la que se veían muy cerca del cristal las hojas casi doradas de uno de los árboles centenarios de la Alameda. Una típica construcción de inicios del siglo xx, cuando la gente con dinero solía mostrar con ese tipo de ornamentos su poder. Mamá estaría encantada con una ventana así, con un despacho así, con un hijo así, como aquel notario, un «hombre de provecho», como a ella le gustaba decir de ese tipo de personas.

—Quiero agradecerle que me atienda un sábado.

—No me trates de usted, Toni. Tu padre me habló tantas veces de ti que es como si ya te conociese de toda la vida. Porque hablaba mucho de ti. Muchísimo.

No pude evitar que me atacase un arrebato de emoción al imaginar a mi padre hablando de mí a gente de la que yo nada sabía.

—¿Eras muy amigo de mi padre?

Al notario se le dibujó una sonrisa grande y franca, limpia, como si de repente cientos de hermosos

recuerdos le hubiesen venido a la mente resguarda-
dos en mis palabras y en la alusión a su amistad.

—Sí, sí que lo éramos. Entró aquí como cliente
hace un montón de años, por asuntos del periódico,
y con el tiempo llegamos a hacernos muy amigos.
Coincidíamos mucho en el Liceo Cultural y allí co-
menzó todo. Además, a mí también me entusiasman
los libros antiguos, como, por lo que sé, a ti. Sentí
mucho su pérdida. No sé cómo estará tu madre, me
imagino que fue un golpe muy duro.

Asentí para darle la razón y estaba dispuesto a
pronunciar, como ya había hecho en el cementerio
días atrás, alguna frase de compromiso para salir del
paso. Pero ya no me dio tiempo a decir nada.

—Cuánto lo siento por ella. Gloria se queda
muy sola sin tu padre...

Intenté que no se me notase que me quedaba
paralizado.

Porque mi madre no se llama Gloria.

32

Tuve la templanza, o la prudencia necesaria, para que no se me notase el impacto que me había producido oír aquel nombre. Fue un golpe directo al centro de mi cerebro.

¿Gloria?

El notario se refería a la otra mujer como si fuera mi madre.

Ahora ya sabía su nombre.

Gloria.

Si ya estaba confundido antes, ahora más.

Pensaba que era imposible...

Pero siempre se puede estar más desorientado.

Sobre todo si en medio de todo el lío hay un padre (muerto) que sigue haciendo de las suyas...

—Gloria y él se sentaron ahí, justo donde estás tú, unas cuantas veces. Siempre que podía se la traía con él.

Yo oía, sí, pero no sé si estaba escuchando, pues lo único que me preocupaba era que no se me notase el desconcierto. Aunque la noticia era brutal, lo cierto era que a esas alturas no sabía cuánto podía —o debía— confiar en el notario, por muy familiar que se me mostrase, por mucho que dijese que me conocía tan bien como si fuese de la familia. Para él Gloria era mamá, y yo no estaba allí, al menos en aquel instante, para sacarlo de su error. Si yo permitía que se me notase que estaba afectado por aquella noticia, lógicamente lo que saliese a partir de aquel momento de la boca del notario sería mucho más prudente y yo necesitaba toda la información posible. Toda la que pudiese sacarle sin levantar sospechas.

—Se notaba que se entendían bien —prosiguió—. A mí me encantaba verlos siempre dándose arrumacos, como dos adolescentes. La verdad es que llamaba la atención verlos así de unidos a pesar de tantos años de matrimonio. En fin, tu padre debió de ser un hombre excepcional. En pocos hombres vi tanta entrega.

—Sí que lo fue —dije.

—Así que me imagino cómo estará Gloria después de esta muerte que no nos esperábamos. En fin, que no nos esperábamos tan pronto. En cualquier momento podía darle un ataque como el que le dio, eso ya lo sabes, entraba dentro de lo posible, pero nadie se esperaba, e imagino que vosotros tampoco, que fuese tan pronto.

Continué callado, esforzándome todavía más para que no me delatasen los nervios, apretando los labios con gesto duro, incluso haciéndome daño. Concentrado en no gritar. ¿Qué quería decir aquello de que no esperábamos que muriese tan pronto? ¿Tan mal estaba?

—La enfermedad de tu padre es grave y en casi todos los casos acaba así. Éramos muchos los que teníamos la sospecha de que tampoco respetaba los cuidados mínimos que le aconsejaron los médicos. —Pienso que al descubrir mi seriedad decidió ir por otro camino—. En fin, tu padre era de comer y beber bien y las enfermedades del corazón implican tomar más precauciones de las que él tomaba, ¿no? De todas formas, lo importante es que fue un hombre muy feliz con una vida plena durante los años que estuvo entre nosotros.

No dije nada después de esa frase. No tenía nada que decir. Aquel hombre sabía que mi padre tenía una enfermedad cardiaca y que no se cuidaba como debía, cosa de la que yo no tenía ni la más mínima idea. Aquel hombre sabía que mi madre, por lo visto, se llamaba Gloria y que el amor que él sentía por ella, como ella por él, era público y que no se disimulaba... Yo de eso tampoco tenía la más remota idea. ¿Cuánto más sabía sobre mi padre que yo ignoraba y que, por supuesto, no podía preguntarle sin que sospechase de mí?

Comenzaba a anidar dentro de mi corazón dolido un cierto rencor, minúsculo, pero más que real, contra mi padre, un sentimiento nuevo que jamás había sentido hacia él y que nunca había creído que pudiese llegar a sentir. Contra mamá ya había experimentado un montón de veces cosas parecidas y no me avergüenzo de ello. Ni de sentirlo ni de decirlo. Por mi madre he experimentado odio, asco y todo un abanico de sensaciones que imagino que un hijo no debe sentir nunca, pero que yo no puedo evitar sentir ni decir. Pero contra mi padre...

Si supiera el dolor que estaba padeciendo ahora, lo desprotegido que me sentía...

—Gloria se queda muy sola. Espero por lo menos que esto que te tengo que dar os alivie de alguna forma. Cuando tu padre me lo confió me explicó, y cito textualmente, que era un asunto de extrema importancia y que tenía que llegar a tus manos en cuanto él muriese. Pero también insistió mucho, y yo la verdad no sé por qué lo hizo, en que yo no debía ponerme en contacto contigo bajo ningún concepto, que serías tú quien vendría a mí. —Hizo una pausa, como si quisiera una vez más entender el comportamiento extraño de mi padre en relación a aquel asunto. Después de coger aire, concluyó—: Dale un beso de mi parte a Gloria y dile que venga a verme cuando quiera. Que tomaremos un refresco en memoria de tu padre.

—Lo haré —dije sin poder evitar que se me notase, creo, la expresión de ansiedad que mis ojos dibujaron siguiendo su mano derecha. La misma con la que levantó el vade para sacar un sobre de su interior.

—Esto es lo que tu padre me dejó confiado para ti. Como verás —se levantó para alcanzar una carpeta azul con el nombre de papá escrito por delante—, en este documento firmado por él y por mí nos dice que su única voluntad era que te entregase esta carta cuando la muerte se lo llevara, fuese cuando fuere, una vez que te pusieras en contacto conmigo. Es lo único que dejó, no hay testamento ni ningún documento más. Al menos que yo sepa. —Extendí la mano para que me lo diese—. Pero, como sabes, tengo la obligación de leértela yo. Como notario es la única forma que contempla la ley para que yo dé fe de que eres conocedor de su contenido.

Lo sabía, así que asentí acatando sus órdenes, pues no me quedaba otro remedio.

Sacó de un cajón un abrecartas dorado. Introdujo pausadamente la punta por un extremo para ir rasgando el papel con cuidado. Quién sabe cuántas veces al día haría ese mismo gesto que le permitía establecer un puente invisible de comunicación entre los muertos —que le confiaron a él documentos, últimas voluntades y, como mi padre, bombas atómicas— y los vivos.

Del sobre extrajo un papel pequeño del tamaño de una cartilla y, antes de que me la leyese, yo ya había reconocido la tipografía clásica de la Underwood. El papel traía enganchado algo con un clip metálico. Parecía una foto.

¿Otra foto?

¿La definitiva?

El notario apartó la fotografía y la puso sobre el vade. Hacia abajo.

—¿Quieres que la lea ya?

¡Pues claro que quería que la leyese ya! ¡Estaba muerto de ganas de que lo hiciera de una vez! Extremadamente nervioso y al borde del infarto. Si no me la leía enseguida iba a morirme de lo mismo que papá en aquel despacho. Sentía los latidos del corazón en las sienes y estaba seguro de que el rubor de mi cara denunciaba el mal estado en el que me encontraba, pero fui capaz de decir un educadísimo «por favor» para que comenzase a leer.

Su mano izquierda fue a un cajón de la mesa. Sacó unas gafas de pasta verdes que no pegaban para nada con las que cualquiera esperaría que utilizase un notario que pretendiese hacerse pasar por respetable.

Se las puso y empezó a leer:

«Justo enfrente, Julio Verne toma veinte mil tapas de pulpo».

33

El notario pudo haber dicho un montón de cosas. Preguntarme de quién estábamos hablando, por ejemplo. O qué significaban aquellas letras. Porque la frase, el mensaje de ultratumba que acabábamos de oír, era, en efecto, una especie de bomba atómica y daba para pensar muchas cosas. Pero no lo hizo. Cerró la boca después de leer y no lo hizo. Pensar, pensaría lo que él quisiera, pero de hablar, nada. Se limitó a entregarme el papel y luego el sobre. Imagino que los notarios hacen ese tipo de cosas. Leen. Firman. Anotan. Pero no preguntan. Saber no forma parte de su trabajo.

La foto seguía boca abajo sobre la mesa. Yo no dejaba de mirar al notario, directamente a los ojos, temblando y, no voy a mentir, también empapado de una cierta decepción. Estaba segurísimo de que aquel papel oficial, por llamarlo de algún modo, iba a aclararlo todo para siempre; no tenía duda de que aquella declaración leída por un hombre de leyes me daría todas las claves que faltaban para entenderlo todo y aliviarme de una vez el dolor de cabeza que me causaba ser incapaz de salir del laberinto en el que mi padre me había metido quién sabe por qué ni para qué. Resultaba normal que lo hubiera pensado. Pero, en cambio, era más de lo mismo: otro enigma, una adivinanza, de nuevo mi padre pidiéndome que siguiese jugando a los detectives con él. Pero ¿hasta cuándo? Y, sobre todo, ¿por qué? Yo sabía que quería llevarme hasta algo grande, algún descubrimiento poderoso, y que incluso todo lo que estaba conociendo sobre su otra vida no era en realidad nada comparado con lo que me esperaba —la gran chocolatina— al final del camino. Lo sabía de sobra, pero lo cierto era que ahora estaba más perdido que antes.

¿De qué iba todo esto? ¿Qué es eso de Verne y el pulpo? ¿A qué jugaba?

No sé si todos estos pensamientos se me notaban en la expresión inmóvil de mi cara y si la pregunta de José Antonio fue consecuencia de esa expresión. Probablemente sí.

—No tienes ni idea de lo que quiere decir, ¿verdad?

Me sentía abatido por un profundo desánimo. Perdí todas mis fuerzas y me dejé caer en el respaldo de la silla, hundido, mientras él volvía a leer la frase, esta vez más despacio.

—En fin, Toni, yo no puedo servirte de mucha ayuda..., aunque tenemos esto.

—¿El qué? —inquirí presionándome los ojos con las manos, sin ganas de nada.

—Esta foto.

Abrí los ojos y me la dio.

Lo que me entregaba, si queremos ser estrictos en la descripción, no era una foto, sino más bien un trozo de una foto.

—No está entera —dije.

—Eso parece.

En la foto se me veía a mí. Yo tendría dos años, quizá tres recién cumplidos. Aparecía vestido con un pantalón corto blanco y un polo del mismo color. La foto era en blanco y negro y se le notaba el paso del tiempo. Estaba de pie y le sonreía a la cámara en una pose descarada de felicidad.

Y le daba la mano a... nadie.

—¿A quién le estaría dando la mano aquí? ¿No está ahí el resto de la foto? —dije como un tonto mientras volvía a abrir el sobre, por si el resto de la imagen se hubiese quedado olvidada en el interior.

El notario me habló ignorando mi comentario desesperado.

—¿Puedo?

Antes comenté que los notarios no quieren saber, pero aquel sí quería. Probablemente era el legado más extraño que había tenido que transmitir a un familiar de un difunto y probablemente también le podía la curiosidad.

Le pasé el trozo de foto.

—Está claro que lo que mi padre quiere ahora es que encuentre el otro trozo de la fotografía. No me preguntes más, que si te lo cuento no das crédito. Eso es lo que él quiere, sí, que encuentre la otra parte de la foto. La escondería a saber dónde y confía en que dé con ella y así entienda este mensaje tan raro que acabamos de leer. Insisto: no hagas preguntas, él era así, ya lo conocías.

La cara de extrañeza con la que me miraba el notario era lo suficientemente expresiva como para que tuviese que añadir algo más.

—Entiendo que para encontrar el resto de la foto que dices que tu padre quiere que consigas tienes que saber qué quiere decir con eso de Julio Verne, el pulpo y demás.

La cogí de nuevo y esta vez fui yo quien la leyó por tercera vez en voz alta:

—«Justo enfrente, Julio Verne toma veinte mil tapas de pulpo».

—No hay duda de que una cosa tiene que ver con la otra. Lo de las «veinte mil» imagino que se refiere al libro de Verne.

—*Veinte mil leguas de viaje submarino.*

—Ese justamente, pero lo del pulpo no sé qué puede ser. Lo que está claro es que si quiero el resto de la foto tengo que aclarar el significado de este mensaje —concluí.

Me devolvió la imagen. Había sido cortada intencionalmente con unas tijeras. La parte que le faltaba no había sido arrancada de cualquier forma ni el corte parecía fruto de un accidente. El trazo era perfectamente recto e iba justo por donde estaba mi mano derecha, que no se veía, pero la postura de mi brazo era claramente la de quien está sujeto por una mano o dándole la mano a alguien.

—En fin, creo que debo irme ya —dije al tiempo que me levantaba.

Le di la mano y las gracias. Me hizo prometer otra vez que le daría un beso a Gloria de su parte y que le insistiera para que lo visitase. Me acompañó hasta la puerta. Me la abrió y automáticamente se encendió la luz de las escaleras.

Y sobre el felpudo, una chocolatina.

Por suerte cerró la puerta después de darme un fuerte apretón de manos —mi mano no tenía fuerza, la había perdido toda— y no la vio. La recogí y la abrí por si había algo dentro, muerto de nervios una vez más, sintiendo un escalofrío visceral que me subía por la espalda y que casi dolía de lo intenso que era. Pero no había nada y, quizá por la histeria que me dominaba y por cómo me sudaban las manos, los dedos empezaron a llenárseme de chocolate.

En un gesto inocente y absurdo, pero reflejo de la tensión que me dominaba, me chupé los dedos como si fuese un niño pequeño, saboreando aquel chocolate tan conocido de una forma algo desesperada. Luego bajé corriendo las escaleras y me planté en la calle, agitado por el esfuerzo y casi sin aire, intentando mirar para todas partes, ansioso por descubrir quién me había dejado la chocolatina en el felpudo. Alguien que sabía que yo estaba dentro de la oficina y que saldría en cualquier momento.

Al llegar al coche metí de nuevo la chocolatina en su envoltorio y después dentro del sobre. Lo lancé todo al asiento de atrás y arranqué. Con la cabeza a punto de explotar llegué hasta la calle Carballeira, en pleno Casco Viejo. Dejé el coche en el aparcamiento de la Puerta del Sol. No cogí ni la carta ni el sobre.

Antes de salir, mis ojos tropezaron conmigo mismo en el retrovisor. Sobre el pecho de la camisa abierta se veía la cadena de papá. Me la quité. Definitivamente no me apetecía llevarla puesta a pesar de lo que hubiera pensado antes, todo aquello de que me daba fuerzas y no sé qué. Era como yo la recordaba, de oro y con su nombre impreso en letras cursivas, de esas muy adornadas. Detrás, su Rh y su grupo sanguíneo.

Pero no.

Detrás había algo que yo no recordaba:

«En caso de urgencia médica, contactar con calle Carballeira, 25».

Papá avisaba de que se iba a infartar. Y añadía que, si eso pasaba, avisaran a esa casa. No a la suya. A aquella.

Y no decía «en caso de hospitalización» o algo por el estilo, no. Decía «en caso de urgencia médica».

Apreté la llave con fuerza y salí del coche.

34

El número 25 de la calle Carballeira resultó ser un edificio de tres plantas bien conservado, a pesar del mal estado en que se encuentran prácticamente todos los edificios y solares del Casco Viejo de Vigo. Durante los últimos años los distintos gobiernos municipales intentaron mejorarla, resucitarla y darle vida con pequeños proyectos, pero hoy en día sigue siendo una zona relacionada solo con el ocio nocturno (y no precisamente con el más recomendable) y poco más.

Apresadas en mi puño derecho, que no salía de mi pantalón, llevaba la cadena de oro de papá, la misma que informaba de cuál era realmente su casa —o al menos la que papá sentía como tal— y la llave. El portal estaba abierto, lo que fue sin duda una suerte, porque yo solo tenía una llave y estaba claro que era la de la puerta del segundo piso, no la del portal.

Entré y me recibió una larga escalera de tonos verdes y manchas negras. No sé por qué, pero esperaba un suelo de madera. Era verdoso con puntitos negros, muy de los años sesenta. Empecé a subir caminando de puntillas, como un ladrón que quiere avanzar sin hacer ruido. Sudaba y las gafas me empezaban a resbalar por la punta de la nariz.

Decidí parar en el primer piso, me saqué un pañuelo de papel de uno de los bolsillos y me sequé la frente y la calva. Respiré hondo y dejé hablar a una voz que desde dentro me pedía tranquilidad.

Había llegado hasta allí.

Había llegado muy lejos.

Mucho más lejos de lo que había imaginado.

Así que más me valía estar tranquilo y hacer bien las cosas.

Se abrió la puerta del primer piso y sentí girar la cerradura. Salió un hombre de bigote, bastante mayor, que me dio los buenos días cuando nos cruzamos.

Llegué a la puerta del segundo piso.

Saqué la llave.

Décimas de segundo antes de introducirla en la cerradura, me paré.

Pegué la oreja a la puerta. No se oía nada.

La llave fue una de las primeras cosas que papá me había hecho encontrar nada más ir por su despacho. Con ella habían llegado las fotos en las que salían Gloria y él y la primera chocolatina. Así que era como si desde el principio estuviese diciéndome que podía entrar sin peligro.

Metí la llave y le di dos vueltas a la cerradura.

Entré y mi mano izquierda tanteó la pared en busca de un interruptor.

Encendí la lámpara del pasillo de una casa completamente cerrada.

La cantidad de polvo que se acumulaba sobre un mueble con espejo en el recibidor dejaba claro que allí no vivía nadie desde hacía mucho tiempo.

Respiré.

Muy profundo.

Y me guardé la llave dispuesto a hacer un viaje en el tiempo con papá.

35

El suelo estaba cubierto por una moqueta verde. Se adivinaba algo de luz al final del pasillo, probablemente en lo que sería la cocina. La puerta estaba cerrada y con una llave puesta. Todo se encontraba muy oscuro y el aire tenía esa densidad propia de los lugares mal ventilados y que se abren muy poco o muy de vez en cuando. Me hizo toser un picor en la garganta que tenía que ver sin duda con el aire viciado que lo invadía todo en aquel piso. Pasé un dedo por el mueble del pasillo y entonces me vi en el espejo, con mi cara de espanto como única compañía. El dedo se me llenó de polvo. Era obvio que hacía mucho que allí ya no vivía nadie, pero mi padre había muerto hacía una semana, así que me quedé un poco descolocado, pues de alguna forma daba por hecho que él aún había seguido pasándose por allí hasta los días previos, o quién sabe si en el mismo día de su muerte.

Cerca del espejo del pasillo vi unas cuantas figuras que pretendían ser decorativas. Entre otras la de un payaso gordo que parecía reírse de mí y de mi temblor. Un tarro de cristal con flores de plástico y un cenicero de cerámica de Sargadelos completaban aquel extraño recibidor. Caminé hacia la luz. Al fondo del pasillo había un antiguo radiador eléctrico algo oxidado por la parte de abajo, blanco y con el cable colgando por un lado. El enchufe estaba casi en el suelo. Obviamente, por los años que tenía aquel edificio, no podía tener calefacción central y por un segundo me vino a la cabeza la imagen de mi padre calentándose las manos en el radiador en plena noche después de llegar del periódico y antes de volver con mi madre y su rutina de fingida normalidad familiar.

Entré en el baño y se me confirmó la huella de papá en aquel piso. Descubrirlo me provocó un nuevo escalofrío, pues en el lavabo, dentro de un vaso, encontré dos cepillos de dientes y la crema dentífrica de su marca de siempre. Abrí el único mueble que había, a la derecha del espejo. Allí encontré un frasco de loción de afeitar, también de su marca de toda la vida, y una brocha de afeitar. La cogí. Tenía el puño de madera y una frase definitiva impresa: «Para Antonio. Con amor, Gloria».

Me tuve que sentar sobre el bidé y se me llenaron los ojos de lágrimas. «Con amor». El amor de Gloria. Gloria amando a mi padre. Mi padre, que era amado por Gloria. Me tapé la cara con las manos y lloré. Mucho. Lloré derrotado. Probablemente era lo que necesitaba hacer a esas alturas de aquella historia insoportable. Soltar toda aquella presión, toda aquella angustia acumulada de tantos días de nervios, descubrimientos, emociones y desesperación por no saber hacia dónde tirar para resolver de una vez aquel enigma insufrible.

Que aquella había sido *también* la casa de mi padre era algo que ya sabía incluso antes de entrar. Y saberlo, saber eso desde la víspera, cuando Rosamari me había informado del dinero y los documentos en los que figuraba aquella otra dirección, diferente de nuestra casa familiar, aunque era un descubrimiento fuerte, por decirlo de alguna forma, no me había herido en absoluto. Aquel desbordamiento probablemente lo causaba una cierta forma de felicidad. Mi padre debió de haber sido dichoso con Gloria. Mamá nunca le escribiría algo así en un regalo. Leer aquella declaración de amor, directa, doméstica, me hizo pensar, me hizo *saber*, cómo debió de haber sido aquella relación clandestina pero verdadera, oculta pero real, que a mi padre —lo sé sin duda— debió de hacer muy feliz.

Recuperé la compostura y devolví la brocha a su lugar. El resto del mueble estaba ocupado por frascos de colonia de mujer, un secador de pelo negro y algunos medicamentos básicos de esos que todos tenemos en casa. En definitiva, un mueble de baño normal de una pareja normal y lleno de cosas normales que hacen una vida de pareja normal. El inodoro, el bidé, el lavabo eran de color marrón suave, una vez más muy propio de finales de los sesenta o principios de los setenta.

Salí del baño. A la derecha se encontraba el salón y a la izquierda la cocina. Hacia ella me dirigí. Giré la llave metálica y la abrí. Tenía básicamente muebles de madera, también de otra época, y el suelo de baldosa verde. La nevera estaba completamente vacía, lo que indicaba que quien había dejado el piso lo había hecho sabiendo que no iba a volver nunca.

Salí de la cocina y desanduve el camino. Del otro lado había dos habitaciones. La de la izquierda tenía una cama y un armario; las paredes, sin cuadros; la cama, no muy grande; el dormitorio era sin duda alguna de Gloria. En fin, el de Gloria y el de papá.

Una cama de matrimonio, un armario y una cómoda. Además, había dos mesillas de noche —aunque no me imagino a papá quedándose allí a dormir; una cosa es que mi madre supiera de la existencia de otra mujer, pero otra que consintiese que su marido durmiese fuera de casa con la otra, aunque fuese por una sola noche; estoy seguro de que no se quedó nunca allí, me imagino que papá fue muy cuidadoso con eso toda la vida. De hecho, sí lo fue: yo nunca había sospechado nada—. En la cómoda había un montón de papeles: de bancos, de una empresa de seguros, algunos ejemplares del dominical que reparten con el periódico de papá... y una foto que reconocí de inmediato y que me hizo sonreír. Aquella en la que los dos estaban en la playa y que venía en la caja del primer descubrimiento. Me senté en la cama para mirarla con calma y, efectivamente, era la misma.

Fui hacia el salón y pulsé el interruptor.

Y al hacerlo se hizo la luz en medio del universo.

36

*A*quello era mucho más que un salón. Se trataba de una biblioteca inmensa, grandiosa, mucho más poblada de volúmenes que el despacho del periódico y, desde luego, que la de nuestra casa.

A la izquierda, pegado a la ventana, había un televisor y en el centro una pequeña mesa de madera. Sobre las cuatro sillas, a juego con la mesa, tres archivadores azules que sin duda estaban esperándome. Había también dos sillones de un color parecido al de la mesa, en cuyo centro se encontraba la Underwood, la máquina de escribir de papá. Aquella que siempre había estado en el salón de casa. La máquina de tipografía característica e inolvidable en la que se habían redactado muchas de las notas que había recibido en aquellos días de tortura.

¿Cómo no me di cuenta de que faltaba cuando fui a ver a mi madre?

Junto a la máquina de escribir había una caja de madera. La abrí. Dentro se hallaban unas cuantas chocolatinas. Sonreí por el hallazgo, aunque ya me esperaba algo así; pero no eran las de siempre. Eran las especiales. *Souderklasse,* aquellas que en tan pocas ocasiones me había permitido probar. Las muy caras. Por lo tanto, papá consideraba importante mi hallazgo. Cogí una y el finísimo tacto del papel que la envolvía me permitió recordar en un instante aquella locura de cacao y azúcar de la gama superior. Lo habitual de mi infancia —y en los distintos *regalos* que papá me había hecho después de cada progreso en mi investigación— eran unas más básicas; pero recuerdo que de las otras papá solo compraba un par de veces al año y que me las daba a cuentagotas, ya que suponían una cierta forma de lujo. Eran de un chocolate más negro, cacao puro. Probablemente ya no se fabricaban, pues hacía décadas que no las veía.

Acudieron rápidamente a mi memoria miles de momentos vividos con papá gracias a aquellos chocolates especiales. Y un recuerdo sobre todo: tendría seis o siete años y él me hablaba lento, con aquella voz cadenciosa que tenía de locutor radiofónico para informarme acerca de la fabricación de aquellos chocolates; de cómo el cacao venía de América y cómo el secreto estaba en saber equilibrarlo con el azúcar. Recuerdo cómo rondaron durante años en mi memoria aquellos lugares alejados que con el tiempo también fueron habitados por Jim Hawkins, por Long John Silver y por todos los piratas de aquellos libros también deliciosos.

Enseguida me di cuenta de que, a diferencia de todo lo demás que había en aquella casa y que demostraba el abandono en el que se hallaba el piso desde hacía mucho tiempo, la caja de chocolatinas no tenía ni una mota de polvo encima. Tampoco la Underwood. Este detalle me hizo entender que las notas se estaban redactando, o habían sido redactadas, hacía poco. O que, en cualquier caso, todo aquello había sido abandonado hacía mucho pero fuese quien fuese se había pasado por allí a trabajar con la máquina y a depositar la caja de los chocolates recientemente.

Dejé las chocolatinas y la máquina de escribir y fui directo a los libros. ¿Cuántos habría? Imposible calcularlo, ni siquiera de forma aproximada. Se veía que en algunos estantes se había aprovechado tanto el espacio que había dos e incluso tres filas seguidas. La parte central de la biblioteca estaba ocu-

pada por libros encuadernados en piel, muy parecidos a los que papá tenía en el despacho. Me acerqué
para comprobar lo que ya imaginaba: que eran exactamente los mismos. Verne, Salgari, Stevenson..., los
autores de los libros de aventuras que tanto adoraba, los mismos libros que habían llenado mi cerebro infantil de historias fantásticas. De alguna forma,
era como si papá hubiese repetido en aquel salón de
la casa de Gloria (y suya) su despacho, o lo que es lo
mismo: lo que no podía tener en casa. Eso subraya-
ba otra vez que papá tenía un proyecto de vida, de
felicidad, con Gloria; no era una simple historia se-
xual o una aventura o como lo queramos llamar. Él
se había preocupado por tener en aquella casa los
volúmenes que amaba para hacer de ella un hogar.
Una cueva propia en la que estar a gusto.

Mis ojos buscaron directamente *Veinte mil leguas de viaje submarino*, de Verne. Saqué el volumen y reconocí el tacto de aquella piel gruesa en la
que estaban encuadernados muchos de los libros
de papá. Su viejo hábito de mandarlos encuadernar
para —según había dicho siempre— hacer que así
durasen más. Yo siempre he sabido, o querido creer,
que en el fondo lo hacía por una cuestión de distin-
ción, de elegancia, para vestirlos mejor y que lucie-
sen más.

Pasé rápido las hojas, lo abrí poniéndolo boca abajo, esperando que cayese alguna nota como en las anteriores ocasiones; pero no pasó nada. Así que decidí que me lo llevaría, pues al parecer la respuesta estaría escondida entre las letras escritas por el autor de la maravillosa historia del capitán Nemo.

Aparté las sillas y antes de sentarme puse encima de la mesa los archivadores azules. Estos llevaban unas etiquetas blancas pegadas. Como ya he dicho antes, mi padre nunca había sido un ejemplo de orden. Su despacho siempre daba miedo en ese sentido, por eso era sorprendente que todo estuviese tan clasificado. Igual había sido cosa de Gloria y no de papá. Aunque la letra era suya, sin duda.

Las palabras que había escogido para nombrar cada archivador eran ya una promesa de problemas.

Había tres: «Textos náufragos», «Cardiólogo» y «La cruz».

37

No sé qué hora sería, pero en cualquier caso era ya muy tarde. Por algún lugar se colaba un intenso aroma a pescado frito. Pero no era hambre lo que sentía ni comer lo que me preocupaba. Lo que tenía era que decidir qué hacer con aquellos tres archivadores. Ya sabía que él, o Gloria, o quien fuese, los había dejado ahí para mí, para que los leyese allí mismo si me apetecía o para que me los llevase para estudiarlos con calma en otro sitio. Lo difícil era saber cuál de ellos podía ser más importante.

Para ganar tiempo, saqué el móvil y llamé a Celia.

—Estoy dentro.

—¡Madre mía!

Sentí su ansiedad a pesar de los kilómetros de distancia.

—No te preocupes, esto está más que abandonado desde hace mucho tiempo. ¿Y sabes qué? ¡Está la máquina de escribir!

—¿Qué tal te fue con el notario?

—Bien, bien, pero mejor te lo cuento luego, cuando llegue a Coruña.

No muy convencida, pero resignada, Celia accedió a despedirse y yo me centré en las carpetas.

Lo primero que hice fue sacar las gomas de los tres archivadores para comenzar por el que tenía los informes del cardiólogo. En efecto, eran exactamente eso: una gran cantidad de papeles médicos, informes, recetas para la farmacia y resultados de pruebas. El paciente siempre era el mismo: papá. Casi todos eran iguales, aunque en algunos casos cambiaba el nombre de los cardiólogos que los firmaban. No me llevó mucho hacerme una idea general de lo que allí se contaba, pues estaban perfectamente ordenados para facilitarme la lectura y, supongo, para que asimilase mejor la información. De esta forma supe enseguida que mi padre había empezado a tratar su enfermedad al menos unos diez años atrás. Una palabra se repetía con más frecuencia que otras: «cardiopatía». Uno de los informes, con fecha de hacía dos años, era más largo que los otros. Se trataba de cuatro folios grapados e incluía al final algo que sin duda era la copia de un electrocardiograma, junto a un apartado de «recomendaciones de dieta y ejercicio» que sin duda mi padre no siguió en ningún momento, un desinterés que, de alguna forma, probablemente adelantó su muerte. El material era tanto que decidí dejarlo para revisarlo con más calma en casa, a ser posible con Celia, aprovechando que al día siguiente era domingo. Me llevaría también el libro de Verne y cualquier otra cosa que me pareciese importante para aclarar todos aquellos datos.

Cerré la carpeta de los informes médicos. Una vez visto ese, daba igual abrir uno u otro.

«Textos náufragos» o «La cruz».

Abrí el primero.

Lo que me encontré casi me hizo caer de espaldas a pesar de que estaba sentado en aquellas cómodas y algo viejas sillas. En el interior del archivador habría aproximadamente cerca de cien papeles, todos ellos escritos con la letra inconfundible de papá. Para mi sorpresa, eran textos literarios.

Una vez más no fui capaz de contener la emoción y una lluvia de lágrimas me vino directa a los ojos. Me esforcé para no llorar de nuevo. Ver aque-

llas letras escritas de su propia mano era como tenerlo allí sentado conmigo.

Las páginas que acababa de encontrar parecían poemas, o más bien pequeños textos poéticos
en prosa. El primero de todos era una especie de prólogo en el que explicaba que el lector iba a acceder
a las *Cartas del Náufrago: las misivas de un poeta de
contrabando que quiso hablar del amor y de la vida
en tiempos difíciles.* Mi corazón volvía a desbordar
intensidad, pero en esta ocasión era una emoción serena y muy fuerte. Lo que tenía ante mí no era solo
una montaña de folios, sino un libro escrito por mi
padre. ¿Era eso lo que quería que encontrase? ¿Todo
esto para llevarme a un libro suyo? Seguro que no,
pero también quería que lo hallase. Sin duda. Aquel
descubrimiento era algo completamente inesperado. Sabía que papá siempre había tenido una relación intensa con la literatura, sobre todo como lector, pero que nunca se había atrevido a dar ni un
solo paso para convertirse en escritor. Eso es algo que
jamás llegué a entender, porque papá escribía realmente bien. Sus artículos eran un ejercicio de la mejor literatura periodística del país. Cualquiera pensaría que me puede el amor de hijo al decirlo de esta
manera, pero es absolutamente cierto, y ahí están las
hemerotecas para quien quiera comprobarlo. Mu-

chas veces les regalaba a sus lectores pequeñas historias centradas en algún asunto de la actualidad
—nunca dejaba de ser periodista y, como él mismo decía, había que beber siempre del día a día—,
pero contada desde una perspectiva sugestiva y diferente que me hacía pensar precisamente eso, que de
haberlo querido habría sido un buen escritor. De hecho ya lo habíamos hablado alguna vez. Se lo había
preguntado directamente en un par de ocasiones después de leer algún artículo que me hubiese resultado
especialmente placentero. Y cuando lo hacía siempre
le preguntaba por qué nunca se había animado a publicar un libro. Entonces, además de decirme que tal
vez cuando se jubilase, aprovechaba para lanzarme el
discurso que tenía preparado para este tipo de cuestiones y que más o menos quería decir que la vida lo
había obligado a elegir entre la literatura y el periodismo, habiendo triunfado el periodismo por una
mera cuestión de supervivencia.

Ahora yo tenía entre las manos un libro suyo,
tenía aquellos *Textos náufragos* o *Cartas náufragas*
—sí, ese sería un buen título, mi mente de editor ya
se había puesto en marcha— como testigo póstumo
de su talento y capacidad como escritor.

Saqué muy despacio los folios de la carpeta, como si tuviese miedo de que se rompieran. Ahora que-

ría leer, aunque no todos, pues sabía que debía seguir investigando mucho más allí dentro. Tenía algo que encontrar aunque no supiera lo que era, pero también estaba seguro de que, fuera lo que fuese, estaba en el interior de aquella casa y que lo encontraría ese día. Pero antes dedicaría unos minutos a leer a mi padre, al menos las primeras páginas, luego iría al tercer archivador y a rebuscar algo más, sobre todo entre los libros de aquella clónica biblioteca, entre aquellos estantes que se empeñaban en repetir, con escandalosa precisión, muchos de los libros amados por papá. Su orgullo de lector. Sus objetos más queridos.

Ahora tocaba leer a papá.

El libro de mi padre.

El primer texto se me clavó directo en el corazón.

Las palabras fundan el mundo. También pueden destruirlo. Las palabras y la forma en que se transmiten. Por eso puede haber —así lo he oído cientos de veces— murmullos que producen agujeros en el pecho en los que se quedan para incubar alguna forma de gozo. Y palabras que nos llegan y nos matan. Literalmente.

Wittgenstein decía que las palabras son figuras de la realidad. Nietzsche afirmaba que si queríamos entender el mundo había que investigar el origen de las palabras que utilizamos para nombrar las cosas. Sé que ambas ideas son ciertas. Nacemos, y lo que nos llega del exterior son, además de tactos, sabores y sensaciones térmicas, palabras, fonemas que aún no comprendemos —hay quien pasa por la vida y nunca los entiende—, pero que reconfortan o desesperan. Nos enamoramos de las palabras. Leemos libros buscando palabras que nos lleven a mundos más alejados, al País de las Maravillas de Alicia. Algunos náufragos construyen islas de palabras y ahí son los Reyes Magos del universo, bufones y poetas, cíclopes de un solo ojo hecho de semánticas que salen de quién sabe dónde. Palabras, las mías, en esta lengua de cielo, salitre, madreselvas, alecrines, montañas, leche de vaca, pleamar, luz de luna, helechos, mimos, corazón, piel, poros, pezones, chocolate, besos a escondidas en un bar que esa noche abrió solo para ti y para mí. Con las palabras lo digo todo. Con las palabras le doy cuerda al reloj del planeta. Con las palabras me siento en las nubes, me sumerjo en tu escote y tú me guías entre tus muslos. Palabras. Estoy hecho de palabras. Moraré y moriré dentro de ellas, bien tapado, *espero, por una ortogramática corpórea de piel amada.*

Inspiré intentando meter mucho aire dentro... Lo que acababa de leer era algo increíble, de una calidad excepcional. Era, por cierto, el tipo de texto que menos esperaría leer de mi padre. ¡Lírica! ¡Poesía! Ese texto estaba lleno de metáforas de altura. Ese primer texto de su libro era todo un ejercicio estético brillante y sorprendente. No había leído muchas cosas como esa, al menos en cuanto a la forma. Por eso la sorpresa era de nuevo tan grande. Siempre lo había pensado, cuando me lo imaginaba como autor, escribiendo alguna novela de aventuras del estilo de las que siempre nos gustó leer. Historias de piratas, de tesoros escondidos y grandes enigmas, de viajes por tierras ignotas... Pero ¿aquello?

El segundo texto insistía en lo mismo:

Así se sintieron los amantes, como dos grandes bolas de fuego, encendido y encendida, quizá por el verano, quizá porque llevaban inflamándose mucho tiempo. Dos grandes bolas de fuego ardiendo encendidas, uno hacia la otra, la otra hacia el uno, sin poder evitarlo, como siguiendo una ley que era demasiado grande para ellos y, aunque incomprensible, fácil de explicar. Curioso: no se quemaban. Más bien era como una bondad térmica que les irradiaba desde dentro hacia fuera y desde el sol hacia sus propias lunas. Una regalía, entonces, que les daban las pieles de salitre y palabras y verano y luz y arena y cálidas promesas de futuro. Y así, en medio de las calles, entre los pinos, en las salas de asepsia, en los despachos oficiales, en los paradores de la burocracia, en las fronteras de la rutina, en definitiva, en la vida diariamente diaria, dos bolas de fuego amarillo anaranjado le quitaban la vida a las espinas, que cambiaron por los relámpagos, rubicundos, de un amor-fuego en absoluto fatuo.

Y el tercero:

En medio del jardín del que un día habían sido los del palacio del Emir, Indira centraba su mirada en los labios de amapola de Kalu, y pensó que estaría dispuesta a morir por sentirlos en los suyos, como una vez había leído en un cuento de un antiguo libro en casa del abuelo. Decía que el mareo era tan dulce que solo se quería repetir y repetir más y más veces; Caballo Ro-

jo, *antes de que los blancos hubiesen venido a civilizar con su brutalidad el mundo, sintió, en el momento exacto en que una bala le atravesaba el corazón, el sabor preciso de la boca de Luna, la joven más hermosa de la aldea, para la que tenía una piel de bisonte guardada en la tienda; Tonia, el día en que salió del hospital, cumplió la promesa que se había hecho en el instante más crítico: si salgo viva de aquí besaré en la boca a ese enfermero. Ya sé que no debo. Ya sé que no puedo. Pero sé que lo haré; el señor de Outeiro, a pesar de su origen noble, perdió la cabeza después de recibir el beso sutil, casi imperceptible, en el mismo nacimiento de la comisura, cuando era un niño, de María, campesina y pobre en las tierras del señor feudal que era su padre. Enloqueció y nunca más volvió a ser feliz, soñando eternamente con esa boca de fresa.*

En este momento concreto, millones de bocas buscan otras bocas para saber a qué saben las salivas enamoradas, deseadas, soñadas. Y la vida cumple, así, su papel. Mientras, los oscuros, aquellos a los que nadie quiere besar, ennegrecen la vida de todos, quizá, precisamente, porque no hay quien los ame como aman Indira,

Kalu, Caballo Rojo, Luna, Tonia o el señor de Outeiro.

El resto era también de ese estilo. Los fui abriendo al azar, por cualquier parte de aquel libro lleno de poesía, y eso era lo que había: hermosos textos apasionados en los que se apostaba por la vida, por el amor, por la felicidad y por el erotismo. Porque había mucho erotismo en aquellos escritos de papá —al darme cuenta de eso enseguida pensé en mamá; me la imaginé conmigo, sentada a mi lado, tapándose la boca para no soltar un grito espantado al oír o leer aquellas palabras, abriendo tanto los ojos que la cara se le deformaría al saber que su marido amaba, y de esa forma tan entregada y carnal. Aunque ya sabemos que sabía que estaba con otra, que papá, como ella misma me había dicho hacía nada, no era ningún santo—.

Me sequé con la palma de la mano unas nuevas lágrimas que quisieron salir de mis ojos. Empapado en la belleza de aquellas líneas, lloré de nuevo como lo había hecho antes en el baño. Sabedor de que todo aquello había salido del corazón y de la sabiduría literaria de mi padre, lloré. Y tuve muy claro que publicaría aquellos textos y que le enseñaría al mundo el talento de escritor de Antonio Correa, fuese cual fuese el motivo por el que escondió su condición de escritor, quizá simplemente para que yo lo descubriese cuando llegara el momento y entonces lo publicase.

Me quedé unos segundos en silencio intentando recuperarme de la emoción que inundaba mi espíritu y que me hacía temblar las piernas y el cuerpo entero.

Abrí el tercer archivador después de guardar los informes médicos y los textos de mi padre en sus estuches. Volví a leer lo que él había escrito sobre el adhesivo blanco como título: «La cruz».

La verdad me llegó calmada, aunque inevitablemente clara. A mi mente volvieron las palabras del último mail que había recibido: «Felicidades. Ya estás cerca. Fíjate en la cruz y en el fuego». La cruz, al menos la mitad del enigma de esa última comunicación, la tenía delante. Esa era la cruz en la que por lo visto tenía que fijarme. En lo que había dentro de aquel estuche azul titulado de esa manera. Con lo del «fuego» no sabía a qué podía referirse. ¿A que había ardido la imprenta?

Tiré de las gomas para abrir la caja.

Y entonces sentí que alguien abría la puerta.

38

*A*ctué sin pensar. Después me di cuenta de que mi comportamiento había sido bastante temerario. Pero en aquel instante, en el momento concreto en que escuché que alguien con llave abría la cerradura, no dudé un segundo en coger los tres estuches, salir por el pasillo y meterme en la cocina, arrimado a la puerta. Una puerta que antes estaba cerrada con llave y que, por lo tanto, podía ser la prueba más descarada de que allí había alguien o que había estado alguien recientemente. Supongo que no lo pude hacer de otra forma, pues tuve que decidir en cuestión de décimas de segundo. Una decisión que no razoné, porque, además de lo de la puerta de la cocina había dejado la silla en la que había estado sentado fuera de su sitio y me había llevado conmigo los tres estuches. Evidencias como para condenarme sin remisión a poco que el visitante estuviese algo atento.

No obstante, a quien entró eso no le sirvió para deducir mi presencia en la casa. Quizá porque todo fue muy rápido y estuvo allí menos de un minuto. Quien había entrado también tenía prisa.

Pegué la cabeza al diminuto espacio de la puerta de la cocina que había dejado abierto. Sentí que mi mano derecha aferraba un cuchillo afilado que estaba sobre la encimera y en el que yo no me había fijado antes. Juro que no sé en qué momento lo agarré. Espantado, lo volví a poner en su sitio.

Arrimé de nuevo la cabeza a la puerta, intentando ver algo.

Y lo que vi fueron unos pies. La persona que había entrado estaba sentada a la mesa, a la misma mesa que yo ocupaba hacía un minuto. Se trataba de unos pies de mujer, probablemente de mediana edad, pues eran de tacón bajo y muy abiertos. Solo podía atisbar eso, pues se había sentado a la cabecera de la misma mesa en la que estaban los tres archivadores. Oí el ruido del carrete de la Underwood, lo que quería decir que iba a usar la máquina. Así pues, ya sabía quién había escrito las notas, las anteriores y las que llegasen en un futuro: era aquella mujer que tenía a escasos tres metros de mi corazón enloquecido. Oí cómo las teclas golpeaban el papel una, dos veces... hasta que, de repente, paró.

Oí cómo sacaba el folio de la máquina.

Después unos pasos.

Y, por último, cómo se cerraba la puerta de la entrada.

Aún tardé un par de minutos en atreverme a salir de la cocina, caminando una vez más de puntillas y muerto de miedo.

En el salón faltaban la máquina de escribir y la caja de chocolatinas.

Cogí los estuches, el ejemplar del libro de Verne y salí de allí lo más rápido que pude.

39

Llamé a Celia desde el coche, pero tenía el móvil apagado o fuera de cobertura. Y casi me alegré, pues no sabía por dónde empezar a contarle. Era tanto y todo tan intenso que me iba a costar un mundo explicarme.

En pocos minutos estaba en la autopista, recapitulando todo lo que había sucedido con la idea de intentar organizarme para podérselo transmitir a Celia con un poco de lógica. Por una parte, el hecho de que mi madre hubiese reconocido que sabía lo de la aventura de papá, que había otra. No sabía cuánto conocía de esa otra vida de papá ni creo que llegue a saberlo nunca. Luego estaba la placa que me había dado Rosamari, en la que mi padre dejaba claro que sabía que era posible que le pasase algo grave y que en ese caso quería que avisaran a la dirección de ese piso que yo acababa de abandonar de aquella forma precipitada. Tenía que contarle también la conversación con el notario y la naturalidad con la que me había hablado de Gloria, la compañera *pública* de papá, al menos en el Liceo y en la notaría y sabe Dios en qué más lugares. Y hablarle de aquel salón que era la réplica casi exacta de nuestra casa y de su despacho. Con muchísimos libros y sobre todo con los encuadernados en piel, sus favoritos, los de Stevenson, o aquel *Veinte mil leguas de viaje submarino* que tenía en la parte trasera del coche y que escondía la respuesta a ese nuevo enigma sobre Verne y el pulpo. Y, sobre todo, tendría que pedirle ayuda para abordar toda aquella maraña de información que había en los tres archivadores: los dos que ya había leído, el de los informes cardiológicos y aquel tan emocionante de los *Textos náufragos* que yo editaría en cuanto se aclarase todo aquel lío; y el otro al que aún no había podido meterle mano. Y aún por encima de cualquier otra cosa, necesitaba referirle el terrible instante en el que había aparecido aquella mujer en la casa... Recordé mi mano aprisionando el cuchillo y cómo un escalofrío me recorrió la espalda hasta lo más profundo del cerebro.

El sonido del móvil me hizo salir de la especie de sueño hipnótico en el que estaba sumido y que me hacía conducir por la autopista con el pie sobre el acelerador y sin darme demasiada cuenta de lo que hacía ni de la velocidad a la que iba. Pulsé el manos libres y le contesté a Celia.

Cuánto me alegré al oír su voz.

Estaba ansiosa por saber. Pero yo, como la vez anterior, le pedí que se tranquilizara y que esperase a mi llegada. Que se lo contaría todo.

—¿Quedamos para cenar? —le pregunté. La idea era vernos al día siguiente, pasar el día en algún lugar apartado de la ciudad; pero ya no podía más. Necesitaba verla, y no precisamente para hablar de lo sucedido ese día, por extraordinario que hubiese sido.

La ansiedad había desaparecido y mi cuerpo ya se sentía de nuevo en casa. Era muy consciente de lo mucho que la amaba y me preguntaba si mi padre había sentido lo mismo por Gloria. Quise pensar que sí, y fui feliz por él y por mí. Por ser dueños de tanto amor.

—Claro. Tengo muchas ganas de verte y de que me lo cuentes todo.

Nos despedimos y al llegar a casa me duché, me afeité y me puse ropa cómoda.

Cuando llegó Celia —vestido negro corto, uñas pintadas de rojo, cremallera por delante del vestido—, no hablamos ni de los archivadores ni del mensaje que me llegó a través del notario ni de mi madre ni de la placa ni de la mujer que entró en el piso ni de nada.

Pasamos gran parte de las horas siguientes haciendo el amor como dos enamorados que se quieren tanto que el mundo y sus problemas permanecen fuera de casa.

Y así era.

No había nada más que nosotros dos. Sin problemas y llenos de toda la armonía que el universo nos daba en ese momento concreto de nuestras vidas.

Mañana sería otro día.

Y lo fue.

Pasamos un domingo de amor y palabras. Examinando todo aquel material en la cama, desayunando entre las sábanas, mezclando papeles y besos, mensajes de mi padre y cariño, sumergidos en las letras de Verne y en las pieles, anotando en un cuaderno posibles soluciones a lo que sabíamos que era el último enigma, el de Verne y el pulpo, que seguro que se encontraba en ese libro.

Un domingo feliz.

Cuando la noche se nos echó encima, Celia dijo que debíamos abrir el estuche que faltaba.

40

Mi idea de por qué las palabras escogidas por papá para nombrar aquella carpeta eran esas de «La cruz». Al menos en aquel momento ni a Celia ni a mí se nos ocurría el porqué.

Dentro solo había tres papeles. Tres cuartillas, escritas también a máquina, pero no con la tipografía de la Underwood. No cabía duda de que eran tres anónimos amenazantes. En la parte superior derecha, con la letra de papá, los tres folios estaban numerados:

Los tres firmados por la «Hermandad de la Cruz». Así que ya teníamos la «cruz» de uno de los últimos mensajes localizada.

Vi a Celia rebuscando en su BlackBerry.

—¿Qué haces?

—Buscar en internet qué es eso de la Hermandad de la Cruz..., pero no me sale nada.

La primera nota era muy breve:

«Estás jugando con fuego. Y un día te vas a quemar».

La segunda resultaba más explícita:

«Luego no digas que no te avisamos. Luego no digas que la Hermandad no jugó limpio contigo. O dejas de imprimir toda esa mierda comunista o iremos a por ti».

La tercera era la más críptica de todas:

«La Cruz ya ha decidido. Ahora solo queda que todo se consuma».

Entendí que las tres notas habían sido colocadas dentro del archivador siguiendo la numeración anotada por papá.

—¿Qué significan esos números?

Celia, como siempre más espabilada que yo, tenía una respuesta.

—Tiene que ser el orden en el que se han recibido. De hecho, guardan una cierta lógica. La primera es una advertencia. A esa gente no le gustaba algo y avisaban, amenazaban, intentaban atemorizar para que dejasen de hacer lo que estaba haciendo. La segunda nota, fíjate —Celia me guiaba en la lectura con su índice de uña roja—, es mucho más clara, le recuerdan que está «avisado» y habla de dejar de «imprimir toda esa mierda comunista o iremos a por ti». Más claro, imposible. Y mira la otra, informan de que ya han tomado la decisión.

—¿Y eso de «consumir»? —le pregunté, todavía sin entender nada.

—El fuego. Incendiaron la imprenta. Recuerda la nota de prensa. De eso hablaba. De una imprenta que había ardido. Que se consumió. Que el fuego consumió.

Y como si un velo que llevase mucho tiempo puesto delante de mis ojos se cayese de repente, todas las piezas, o casi todas, del rompecabezas se unieron y le dieron completo significado a todo.

Gloria tenía una imprenta y, según todo parecía indicar, aquella gente de la Hermandad de la Cruz la había incendiado porque en ella se imprimía alguna clase de material comunista. Le comenté a Celia que ahora todo lo que habíamos encontrado en el despacho de papá se entendía mucho mejor: las cartas intercambiadas con aquel sindicalista, aquellos recortes del *Eco* sobre los conflictos laborales de principios de los setenta... La idea de un padre comprometido en la lucha por la libertad y la democracia se hacía fuerte dentro de nosotros.

Porque de las notas, desde luego, no cabía deducir otra cosa. Un grupo de fanáticos, de activistas de alguna clase, obviamente al servicio o simpatizando con el Régimen dictatorial, habían decidido prenderle fuego a la imprenta de Gloria. Quizá ellos dos se habían conocido en ese mundo, en la clandestinidad, en las actividades que, por debajo y fuera de la vista de todos, muchos y muchas hacían a favor de un cambio en el país, para salir del agujero negro de tristeza y miedo que era España en aquellos días.

Aquel archivador, el más pequeño en cantidad de información, era probablemente el que más luz arrojaba sobre el enigma que mi padre me había propuesto descubrir. Él nos había llevado hasta una imprenta y ahora ya teníamos claro que una siniestra Hermandad de la Cruz estaba detrás de aquel atentado. Comprendí entonces y se lo comenté a Celia, porque la nota de prensa había sido tan incorrecta desde el punto de vista de la redacción periodística. En el año 1972, en los últimos tiempos de la Dictadura franquista, la libertad de prensa aún no existía y, si aquello era, como todo nos llevaba a pensar, un ataque de un grupo afín al Régimen, el periódico no podría reflejarlo ni dar todos los detalles. Como era tan frecuente en aquellos años revueltos, actuaban al margen de la ley y con total impunidad y connivencia con la Dictadura, para «poner orden» en aquellos asuntos que les desagradaban. España estaba cambiando a gran velocidad y por aquel entonces había muchos conflictos, como había quedado claro en las propias páginas del periódico que mi padre había clasificado y guardado para mí. La oposición política trabajaba en la clandestinidad, pero cada vez con más fuerza y apoyo de la clase obrera, de la universidad y del mundo de la cultura, utilizando, como era el caso, imprentas de confianza en las que imprimir sus periódicos y materiales propagandísticos. Raro era el día en el que no había una manifestación en los campus, especialmente en Madrid, Barcelona..., pero también en Santiago. Los cantautores —en aquella época llamaban a su música «canción protesta»— estaban en su mejor momento y todo el mundo sabía que se iba a producir en España un gran cambio político en cuanto muriese el dictador. Por eso los grupos paramilitares ultras, falangistas y pseudonazis abundaban también en aquellos días. Así pues, era fácil llegar a la conclusión de que la famosa Hermandad era también un grupo de ese tipo. Y la tomaron con la imprenta, pues posiblemente sabían que allí estaba uno de los focos de colaboración con la resistencia, con eso que ellos llamaban «mierda comunista». Y la habían incendiado. Parecía que ahora todo tenía sentido. El periódico de papá no pudo informar como debía porque el Régimen, con la censura aún activa, no le habría permitido decir que había sido un grupo afín al dictador quien había cometido aquel acto criminal de incendiar la imprenta. Como tampoco habría podido decir, porque esas cosas oficialmente no pasaban, que en esa imprenta se imprimía material comunista.

En medio de la alegría que sentía, no exenta de preocupación por todo lo que estábamos avanzando, dije:

—Pero lo que no sé es por qué en la nota de prensa no se decía el lugar exacto en el que estaba la imprenta.

Celia me miró muy seria.

—Sí que lo sabes.

Esta vez fui yo quien la miró sin entender a qué se podía referir.

Cogió el bolso, con lo que me dejaba claro que se iba.

—Claro que lo sabes, calvito de mi corazón —repitió.

Avancé para abrazarla, pero aún sin saber la respuesta.

La besé.

—Dime dónde.

—Ya lo sabes. Justo enfrente, donde Julio Verne tomaba veinte mil tapas de pulpo.

41

Pero ¿de verdad te tienes que ir? —le pregunté abrazándola con fuerza.

—Sí, y tú ya sabes lo que tienes que hacer antes de irte a dormir.

Después de decir eso posó la mirada sobre el libro de Verne, que descansaba junto con la placa, las carpetas, los documentos del banco de papá, las amenazas y todo aquel montón de datos y fechas que ahora ya entendíamos mucho mejor.

—Lo sé. No voy a parar hasta que encuentre en el libro de Verne la clave para desentrañar lo que nos queda. —La estreché aún más—. Pero no te pienso dejar ir.

—Pero ¡me tengo que ir!

Se separó y se alisó el vestido. Estaba algo despeinada y la parte delantera del pelo insistía en rizarse.

—Quédate a dormir aquí conmigo, por favor.

Me percaté de que me había salido una voz débil y casi suplicante. En cualquier caso con un deje de pena. Celia, encantadora, me ofreció una respuesta que era también una nueva invitación al juego:

—Tengo que irme a casa, dormir un poco y cambiarme de ropa para ir a trabajar.

—No creo que a tu jefe le importe mucho que repitas otra vez ese vestido.

Se lo dije centrando, ahora sí, mi mejor mirada en su cuerpo, porque aquel vestido le quedaba realmente de fábula.

—No tienes ni idea de cómo es de malo mi jefe.

Hice esfuerzos por no reírme.

—Me lo imagino, tiene que ser un tipo difícil de aguantar.

Se acercó a mí y me dio un besito, con la boca cerrada, claramente de despedida.

—No te puedes ni imaginar lo raro que es. Creo que salió a su padre.

Abrió la puerta para marcharse. Desde allí la vi entrar en el ascensor. Me envió, con la mano y por el aire, otro beso.

Me senté en la cama, feliz y enamorado. Mi cuerpo, mi alma, todo mi ser se sentía en un lugar muy parecido a la felicidad. Cogí la novela de Verne. *Veinte mil leguas de viaje submarino.* Sabía que me enfrentaba a una noche de muchas horas de trabajo en la que no pararía de leer el libro, de leer *en* el libro, hasta descubrir el detalle buscado, hasta dar con el dato que me permitiese entender aquel extraño mensaje que me había transmitido el notario. Como me había recordado la propia Celia antes de irse, ahí estaba la imprenta destruida. Entender cómo era posible que dentro de un libro de Julio Verne estuviera una dirección que yo necesitaba conocer se me hacía difícil de imaginar. Pero con mi padre de por medio todo era posible.

Abrí el archivador que contenía los textos literarios. Lo abrí al azar y encontré uno que parecía escrito para mí en aquel momento exacto:

El viejo náufrago, desde la Torre de la Isla, posa cada mañana los ojos sin melancolía sobre las maderas con aroma a brea de lo que fue su barco valiente. No siente la ausencia de los viajes pasados ni de las aventuras vividas en su vívida vida de pirata vividor. Se pone firme en el bastón, cierra los ojos y, con la lengua desgastada de tantas palabras inspiradas, se esfuerza por recordar, y sentir, las pieles de las sirenas a las que amó, los pechos de salitre que lamió, las vueltas que dio por el aire con amantes de luz nocturna y lascivia amorosa a barlovento. Después, se va a jugar la partida, deseándoles a los marineros que ahora gobiernan su barco valiente de aroma a brea que reverencien la vida a la que, con su deseo bucanero, él rendirá homenaje aún todos y cada uno de los días que le quedan por vivir.

Ahí estaba papá, hablando de piratas, de bucaneros, de navegantes..., y hablando del amor y de la importancia de vivirlo. Algo que había conseguido gracias a Gloria, no desde luego gracias a mi madre. Yo, ahora, vivía lo mismo con Celia. Papá había conseguido vivir esa vida en plenitud, aunque fuese de aquella forma clandestina. Yo esperaba vivirlo a plena luz del día con Celia. De momento aún no la tenía como yo quería, pero mi deseo era claro y la quería toda, toda entera.

Dejé los textos para centrarme en el libro.

Aquella edición del libro de Verne, como tantas de las que teníamos en casa o él en su despacho —así como en la vivienda compartida con Gloria—, estaba encuadernada como siempre las recordé: tapa dura de color verde suave, para, como él me había dicho la primera vez que le pregunté por qué estaban así, «proteger los libros importantes». La biblioteca de mi padre —debería decir «las bibliotecas», en plural— constaba de una cantidad de volúmenes difícil de calcular. Muchísimos. Pero, en las tres había un pequeño apartado, de unos quince o veinte libros, encuadernados así. Él se había preocupado de encargar esa protección para los Verne, Salgari, Stevenson, algunos de Dickens, Conrad..., o sea, para los que más amaba.

Fue entonces, al abrir el libro, cuando me di cuenta de un asunto fundamental: en las imprentas no solo se fabrican libros, sino que en algunas también se encuadernan.

Abrí el libro y abajo, en la parte de atrás de la tapa dura de la cubierta, impreso en relieve, pude leer: «Encuadernado en Vailima».

Dejé el libro sobre la cama.

Vailima.

La última casa de Stevenson.

La isla a la que fue a pasar los últimos años de su vida, cuando ya se sabía enfermo de muerte.

Vailima tenía que ser, claro que sí, el nombre de la imprenta de Gloria.

42

De un salto me levanté emocionado para coger el ejemplar de *La isla del tesoro* que nos había proporcionado la primera pista. Tenía el mismo texto impreso en relieve sobre la tapa dura. Exactamente el mismo. «Encuadernado en Vailima». Esta vez fui yo quien hizo una búsqueda rápida en internet, escribiendo en el buscador de todas las formas posibles, con todas las combinaciones que se me ocurrían, pero no apareció ni una sola entrada que me sirviese, pues ninguna recordaba una imprenta, librería, editorial, encuadernadora o algo parecido. Absolutamente nada que se pudiese asociar a Vailima, ya no en Vigo, sino en todo el mundo, salvo —claro está— las referencias a la isla mítica adorada por Stevenson y tantos aventureros frustrados como mi padre, o yo mismo. Así que estaba claro que iba a tener que encontrarla de otra forma.

¿Dónde podría estar?

Celia había dicho que sí sabía dónde se encontraba. Y de alguna forma lo sabía, sí. En fin, sabía tanto como podía saber en función de lo escrito por mi padre en el texto que me había entregado el notario, o sea, que estaba justo enfrente de donde Julio Verne toma veinte mil tapas de pulpo..., significara lo que significase esa frase. Así que, lo quisiera o no, tendría que entrar en el libro de Verne de todas formas. Tendría que pedirle al capitán Nemo que me llevase a surcar los mares del mundo en el *Nautilus* con él y sus resignados secuestrados en esta nueva lectura —varias a lo largo de mi vida, pero ninguna tan especial como esta que estaba a punto de empezar— para encontrar una pista que me permitiese llegar a una imprenta que un día desapareció consumida por las llamas y la intolerancia de una gente que durante mucho tiempo hizo del odio su bandera.

Y eso fue lo que hice durante toda la noche, incapaz de disfrutar de la maravilla de una obra que me sabía casi de memoria y, sobre todo, de un personaje adorable, anárquico, gruñón, inolvidable, como el capitán Nemo, señor de las profundidades y del rencor más náufrago. Mi padre siempre decía que al puente de Rande, esa construcción que preside la ría de Vigo desde su interior y que es de alguna forma su imagen, había que llamarlo «Puente de Julio Verne», que las autoridades harían bien bautizando así un puente que, en realidad, no tiene nombre oficial. Se llama puente de Rande porque está construido en el estrecho de Rande. Papá había publicado algún artículo en su periódico insistiendo en esa idea, dirigiéndose incluso con cierta dureza contra lo que él consideraba la ignorancia de los políticos locales al perder la oportunidad de asociar el nombre de Vigo al del genial escritor francés. Recuerdo varios escritos suyos a lo largo de los años insistiendo en ese asunto, y en particular uno de ellos en el que argumentaba de forma muy acertada que a quien fuese al buscador de Google y pusiera «Julio Verne» le saldría enseguida el nombre de la ciudad, con toda la promoción que eso significa, y que por lo tanto todo eran ventajas si se tomaba la decisión. Sé que hay mucha gente que piensa como él. Yo, desde luego, soy uno de ellos. De hecho, en Cesantes, en el mismo lugar en el que el capitán Nemo ancló el *Nautilus* para bajar del submarino y coger el oro de los galeones que están allí hundidos desde una terrible batalla en el siglo XVIII entre las flotas anglo-holandesa e hispano-francesa, hay una hermosa escultura de unos buzos similares a los que navegaban en el artefacto soñado por Verne y que solo se pueden ver cuando baja mucho la marea. Cuando el mar sube, los marineros del *Nautilus* desaparecen también bajo el agua. Ese lugar y Nemo están totalmente unidos para siempre.

Mi padre siempre sintió que Vigo le debía mucho a Julio Verne y que nunca le habían hecho un homenaje como era debido. De hecho, lo único que hay es una estatua en la zona del Club Náutico...

Y fue así como me di cuenta.

«Una estatua de Verne sentado sobre un pulpo».

Así que ya está.

Eso tenía que ser.

Vailima tiene que estar enfrente de esa estatua.

No necesitaba leerme el libro.

Era todo mucho más fácil.

Internet me devolvió una imagen de esa estatua. Ahí están Verne y el pulpo en el paseo del Club Náutico, en la zona de los yates de la gente rica de la ciudad.

Justo enfrente se encontraría Vailima.

Aún pude dormir unas horas. Me despertaron unos leves rayos de sol que intentaban entrar por detrás de la ventana con el amanecer. En nada, mi cansancio y yo entraríamos en la editorial con la idea de tener un día normal de trabajo, pues a fin de cuentas había que sacar la empresa adelante, teníamos compromisos que atender y, la verdad, durante aquella semana frenética e inolvidable que acababa de dejar atrás había desatendido prácticamente por completo mis obligaciones de editor y ciertos compromisos que podían terminar provocando no pocos problemas. Nuestro trabajo es muy de plazos fijos, de encadenar tiempos y secuencias que conviene no alterar para que las cosas finalmente salgan como tienen que salir. Aunque más que trabajar, lo que realmente me moría por hacer era contarle a Celia mi descubrimiento. Mi padre, tal y como había dicho ella, sí que me había dicho dónde estaba la imprenta. De hecho, había sido el enigma más fácil de resolver. Ahora tenía que ir allí y encontrar alguna prueba de esa imprenta. Quizá, aunque me parecía improbable, estuviese aún el solar o los restos del incendio. En cualquier caso, sabía que el asunto iba a ser difícil, porque delante del pulpo de Verne lo que hay hoy son los Jardines de las Avenidas, una zona que se reformó por completo hace más de diez años y que ahora es lugar de terrazas y de paseo familiar por las mañanas y de copas y diversión por las noches. Pero allí estuvo alguna vez una imprenta que se llamó como la última morada de Stevenson y que ardió porque un grupo llamado Hermandad de la Cruz le prendió fuego por, según todo indicaba, imprimir propaganda comunista o material subversivo de alguna clase. El asunto resultaba apasionante porque, entre otras cosas, le daba a Gloria una nueva dimensión personal aún más allá de lo grande que se me había vuelto su figura al conocer su relación con mi padre. Saber que era una impresora que colaboraba con la oposición democrática al franquismo hacía más atractiva su figura... y la de mi padre. Me sentí lleno de felicidad, pero también de orgullo, porque lo cierto era que el periódico que papá había dirigido durante prácticamente toda su vida tenía fama de conservador y de fiel a las tradiciones y un poco inmovilista. No obstante, él siempre había mostrado un carácter profundamente democrático y progresista, dándole voz a las posturas más polémicas y con más ganas de hacer que las cosas cambiasen, en especial a partir de 1975. Por fortuna, cuando el periódico empezó a abrirse a esas nuevas voces tan discordantes, mi abuelo, el viejo fundador del periódico, ya había muerto, pues de haber estado vivo, no sé si habría consentido que las páginas se llenasen, como pasó en aquella época, con las firmas de los que ellos, y mi madre, consideraban rojos y separatistas. Al viejo le habría dado un ataque.

Celia casi me mató cuando me oyó decir que iría a Vigo por la tarde después de trabajar. Me lanzó una mirada de madre escandalizada por las tonterías que le salen por la boca a un hijo idiota y no es exagerado decir que me sacó de la editorial a empujones para que fuese inmediatamente a Vigo. Ya. Ahora mismo.

—Los dos sabemos que hoy no vas a tener la cabeza en el trabajo.

—Voy a tenerla en ti, Celia, ya lo sabes.

No entró en el juego que le estaba proponiendo.

—Déjate de tonterías y mira esto.

Me puso en las manos *El Doctor Jekyll y Míster Hyde,* que también habíamos consultado hacía unos días gracias a papá. Allí también se indicaba que la encuadernación se había hecho en Vailima.

—Ve a Vigo y para en el periódico. Coge algunos libros y comprueba si también tienen ese texto.

—Y voy a volver a casa de Gloria. —Al oír eso se alejó de mí—. Debo seguir buscando. Allí puede haber más información que nos ayude a aclarar todo este lío de una vez. De hecho, toda la casa es una especie de enciclopedia llena de detalles sobre mi padre, tantos que no te puedes ni imaginar. El baño está repleto de cosas suyas: su loción de afeitar, su colonia de siempre, la de toda la vida; unas zapatillas junto al radiador, prácticamente idénticas a las que siempre le he visto usar. Y la biblioteca, sobre todo los estantes con todos aquellos libros encuadernados en verde, como los de casa, como los del despacho... No me queda otro remedio que volver.

Me miró seria, quizá algo menos angustiada después de mi explicación.

—Prométeme que será una visita rápida. Entras y sales enseguida, ¿vale?

Me lo dijo acercándose a mí de nuevo, dejándome intuir su cuerpo tan deseado.

La besé.

—Así lo haré.

Y salí por la puerta.

43

Le hice caso a Celia y la visita a casa de Gloria y de papá fue rápida. Rebusqué sobre todo en los libros, sin preocuparme demasiado por dejarlo todo como estaba. A fin de cuentas, había alguien, aquella mujer a la que le había visto las piernas y los zapatos, que estaba detrás de todo esto y que escribía las notas, probablemente los mails, dejaba las chocolatinas y que por lo tanto sabía de sobra que yo había estado allí o que lo estaría en cualquier otro momento, pues había sido ella quien me había enviado la llave y me había forzado de alguna forma a descubrir aquel piso. No paré más de un cuarto de hora y en lo que más me detuve fue en los libros encuadernados. Todos tenían sobre la parte trasera de la cubierta, en el margen inferior izquierdo, el mismo pie de texto: «Encuadernado en Vailima». Así que no había duda sobre el lugar donde se habían estampado. Faltaba demostrar que realmente fuese aquella la imprenta que se quemó, y aunque careciese de pruebas más concluyentes, lo cierto era que ya no me quedaban dudas.

Además de esos libros, los estantes contenían toda clase de volúmenes sobre las temáticas más variadas. Recordé aquello que una vez me había dicho alguien, o quizá lo había leído por ahí, de que para conocer bien el alma de una persona basta con ver cuáles son los libros que tiene en casa. Si eso era cierto, mi padre era un hombre culto e interesante. Porque había muchos libros de ficción, pero también ensayos sobre los temas más diversos y profundos.

Imaginé a papá y a Gloria sentados, después de un café, leyendo un poco, en silencio y tranquilos...

Pensé en eso y pensé en Celia y en mí. En que quería un futuro así, lleno de libros, reposo y café.

Aunque no sabía si ella quería lo mismo, pues lo cierto era que aún no había salido de su boca ni una sola palabra de amor. Ni una. Se había dado entera y de una forma absolutamente entregada como ninguna otra mujer había hecho antes. La fuerza de nuestra pasión ya se había demostrado sobre mis sábanas y en mi cama unas cuantas veces.

Yo estaba enamorado. Pero no sabía si Celia lo estaba también.

La alejé de mis pensamientos y me fui al periódico.

Aparqué y salí del coche. Me encaminé hacia la entrada intentando montar una frase, una excusa, alguna clase de argumentación que justificase, si era necesario, mi presencia allí otra vez. Era casi la una del mediodía, por lo que no resultaba muy probable que encontrase mucha gente a esas horas, salvo el personal de oficinas, pero era conveniente tener algo preparado por si acaso.

Cuando ya iba a entrar oí que alguien me llamaba. Me volví para encontrar los brazos abiertos de Alfonso, uno de los periodistas más veteranos del periódico. Probablemente también uno de los que más había llorado la muerte de mi padre.

Después de un sincero abrazo que casi me dejó sin aliento le informé de que iba al despacho del «viejo» —sé que él lo llamaba así— para buscar algo.

—Ya sabes que el orden no era el punto fuerte de tu padre —dijo, como una advertencia—. ¿Quieres que te ayude?

Él no sabía que, aunque era cierto lo que acababa de decir, mi padre había dejado todo lo importante más que bien ordenado.

—No te preocupes. Puedo ir yo solo. Vengo a recoger unas cosas que necesita mi madre y tengo todo el día —mentí—, así que no será necesario, pero gracias.

—Como quieras. Yo voy a estar allí trabajando, en mi mesa de siempre —me miró con socarronería para sentenciar—, y a ver si me jubilo de una vez y se sienta ahí otra persona. Este trabajo cada día es menos interesante y ahora, sin Antonio, todo es más difícil de soportar.

—¿Ya sabemos quién va a ser el nuevo director del periódico? —le pregunté.

Entramos en el ascensor. Me miró muy serio por encima de las gafas y me habló agitando el índice de un lado a otro, dejando claro lo que pensaba:

—A mí no me mires. Yo me jubilo el año que viene y no me quiero meter en esos líos. Además, si no lo sabes tú...

La frase tenía todo el sentido del mundo y me hizo sentir algo idiota por la pregunta. Éramos la familia propietaria del periódico. Si alguien tenía algo que decir sobre la nueva dirección éramos mi madre y yo. Y, claro, no pude dejar de recordar a mamá y todas sus frustraciones conmigo. Si yo hubiera seguido el destino familiar haciéndome periodista, como ella quería, ahora yo me haría cargo de la dirección sin más traumas ni problemas. A nadie le parecería mal que ocupase ese puesto y, muy probablemente, yo ya tendría una gran experiencia como periodista después de trabajar mucho tiempo en el *Eco*. Papá me habría ido preparando durante años para que lo sustituyese cuando llegara el momento. Y que yo fuese nombrado director sería seguir el orden, para mi madre, *natural* de las cosas.

Salimos del ascensor.

—En fin, ya se verá. En cualquier caso, a quien nombren le va a resultar muy difícil estar a la altura de tu padre. —Me dio otro abrazo, ya en la puerta del despacho de papá.

A primera vista parecía que todo estaba exactamente igual que la última vez. Incluso la escalera de tres peldaños que yo había utilizado para alcanzar el libro detrás del que se encontraban aquellas primeras fotos seguía en su sitio.

Todo exactamente igual que cuando lo dejé.

En fin.

Todo no.

Aún fuera del despacho, vi que sobre la mesa había una carpeta idéntica a las otras tres que había encontrado en casa de Gloria.

Puse la mano sobre el pomo para abrir. Llamé a Alfonso, que ya estaba sentado en su mesa al fondo de la Redacción, cerca de la máquina de aquellos cafés que consumía sin parar.

—¿Hay alguien que esté usando el despacho de mi padre? —Hice la pregunta intentando que las palabras sonasen naturales a pesar de lo absurdo que era preguntar tal cosa—. Me refiero a si hay alguien que esté haciendo labores de dirección mientras se nombra a alguien. Supongo que sí, claro.

Alfonso me miró, extrañado. Era obvio que el periódico estaba siendo dirigido por alguien, probablemente por Soledad Palloza, la subdirectora.

—Está Soledad, ya sabes, pero trabaja desde ahí. —Y señaló su mesa—. En el despacho de Antonio no entró ni la señora de la limpieza desde que pasó lo que pasó.

Sonreí, para que pareciese que me valía la respuesta. Pero no me valía en absoluto.

Allí dentro había una carpeta que probaba que mi padre, es decir, aquella mujer con la que había coincidido en su otra casa, había estado en el despacho antes que yo y con la idea de dejarme una nueva pista.

44

Cómo no, lo primero que me encontré dentro de la carpeta fue una chocolatina. De las especiales. Habrían salido de la caja que había en la mesa de la casa de Gloria.

Y ahora, otra vez, un vértigo insoportable.

Una curiosidad insoportable.

Una locura insoportable.

Dentro también me habían dejado una doble hoja de periódico, es decir, cuatro páginas algo amarillentas que obviamente eran de hace mucho tiempo. Las puse encima de la mesa.

Era un reportaje del periódico firmado por mi padre. Del año 1972. La fecha era aproximadamente de un mes más tarde del incendio de la imprenta. Se titulaba «Terror por tradición» y llevaba el clarísimo y preocupante subtítulo de «La Hermandad de la Cruz reivindica el atentado a la imprenta Vailima del mes pasado». Destacado, en letras de molde rojo, las frases «Grupo ultra radicado en Vigo contra los cambios modernos» y, debajo de la foto de la derecha, «Por España y el Caudillo llegaremos hasta donde sea necesario».

Y tanto en la página de la derecha como en la de la izquierda, el sello, que tantas y tantas veces había visto en mi infancia, de la censura. Y aquellas frases definitivas: «No se autoriza su publicación».

El corazón me volvía a latir a mil por hora. Delante de mí tenía toda la información, absolutamente toda, sobre la Hermandad de la Cruz, en un reportaje firmado por mi padre y que la censura franquista no había permitido publicar.

Mientras trataba de calmarme, volví a posar la mirada en aquel reportaje censurado de las páginas del periódico. Había dos fotos. En una se veía a tres personas encapuchadas sentadas en una mesa hablando con él, al estilo más puro de los grupos terroristas más clásicos. Él era el único allí a cara descubierta, sujetando un pequeño y delgado micrófono en la mano con un cable directo a su grabadora, aquella de la que tan bien me acuerdo, una de cinco botones —parar, avanzar rápido hacia delante, hacia atrás, reproducir y grabar—, grande como una libreta, de esas que funcionaban con cintas de casete y que los periodistas utilizaban para sus entrevistas. En la otra foto se veía a uno de aquellos encapuchados sosteniendo una cruz de cuatro brazos ardiendo. La fotografía recogía el humo que salía de cada uno de esos brazos. La capucha le llegaba hasta el labio superior, justo por debajo de la nariz, y la imagen nos mostraba la sonrisa descarada de su portador. El reportaje, una vez que lo hube leído con atención, era periodísticamente excelente. Después de una introducción, muy propia de aquella época, en la que mi padre dedicaba unos párrafos a explicar el gran logro que suponía desde el punto de vista informativo conseguir aquella entrevista y que le había costado semanas de investigación encontrar a aquellas personas —dos hombres y una mujer, aclaraba—, insistía sobre todo en lo que significaba que el *Eco de Vigo* hubiese tenido la suerte de poder brindarles a sus lectores aquel reportaje en exclusiva, en el que los miembros de la Hermandad de la Cruz hablaban por primera vez sobre quiénes eran y cuáles eran sus objetivos y por qué habían atacado la imprenta. Repetían que harían lo que fuese para detener el «comunismo» y el «separatismo» y, según repitieron un par de veces, «a los enemigos de

España y del Caudillo». Profundizaba en la psicología, terrible, de aquella gente y sus ideales. Era un discurso realmente repugnante. Un puñado de bestias convencidos de que las cosas tenían que seguir para siempre como estaban, que España «es diferente y aquí no se hizo una guerra para perderlo todo ahora a manos de los comunistas» —otra de las frases de la entrevista— y ese tipo de cosas que, aún después de tanto tiempo, me seguían produciendo un asco tremendo.

Evidentemente aquel reportaje no podía pasar la censura del Régimen dictatorial de Franco. Porque aquellos locos *eran parte del Régimen.* Muy probablemente la policía sabía, como había llegado a saber mi padre, quién estaba detrás de aquel incendio que el periódico había calificado de «accidental» —esa era la versión oficial que los bomberos o la policía le darían a los periódicos, la única versión que la censura autorizaría publicar— y que, como se veía, no lo había sido en absoluto. Casi con total seguridad, y a pesar de saberlo, la policía no había movido un dedo para dar con los culpables. A fin de cuentas, en aquella época abundaban los grupos paramilitares de ultras y fachas de todo tipo, gente muy violenta que, en nombre de una idea absurda de lo que tenía que ser el país, cometía toda clase de barbaridades con la permisividad de unas autoridades que miraban para otro lado. La oposición democrática sí que era perseguida y reprimida. Los afines a la Dictadura andaban sueltos por todo el país convencidos —y de alguna forma así era— de que podían hacer lo que les diese la gana sin que nada les pasase, pues se consideraban dueños de la razón, de la verdad e, incluso, amparados por Dios en sus acciones, por bárbaras que fueran. No era extraño que escogiesen una cruz como símbolo. Después de todo, en las pesetas —la moneda española de aquel entonces— se decía que el general Franco era Caudillo de España «por la gracia de Dios».

El reportaje, repleto de las declaraciones bárbaras de aquellos tres, ofrecía desde el primer párrafo una radiografía brutal de la barbarie. El grupo se declaraba «dispuesto a todo» y repetía en distintos momentos que el «orden» en España había que mantenerlo a cualquier precio y que no se podía consentir la «degeneración de la Patria». Criticaban también la «mano blanda» de las autoridades de la época con los que «odian España». Mi padre, desde luego, los había dejado hablar a gusto y no se había cortado a la hora de transcribir todos aquellos disparates. Tengo la certeza de que lo había hecho justamente así porque estaba seguro de que la mayoría de los lectores del periódico, a pesar de la línea conservadora que tenía, aun sin interesarles mucho el cambio político o estando, como mucha gente, a la espera de los próximos acontecimientos, se darían cuenta leyendo aquello de que eran gente peligrosa y que, por lo tanto, había que ir en su contra.

Uno de los datos más interesantes era que papá comentaba en el reportaje que Vailima, la imprenta que había sufrido el atentado, estaba en la calle Luis Taboada, 14. En efecto, enfrente de la estatua actual de Julio Verne, en Vigo. Papá había tenido la prudencia, por si no se me ocurría volver por el periódico y conseguir aquellas páginas del pasado que ahora tenía en mis manos, de enviarme la pista a través del notario. Pero ahora ya poseía los dos datos y coincidían. Me relajé un poco porque, aunque todo lo que hay frente a la estatua es una zona prácticamente nueva, de ocio y de copas, detrás se extiende una serie de calles más antiguas de ese Vigo que creció a la orilla del mar. Una de ellas es Luis Taboada. Ahí aún quedaban algunos solares vacíos y en uno de ellos estuvo una imprenta llamada Vailima. Esperándome.

Terminé de leer el reportaje y me inundó una ola de orgullo por mi padre, por aquel periodista inteligente que escribía tan bien y que había puesto su tecla y su oficio al servicio de una buena causa.

Aunque, es justo reconocerlo, en esta ocasión lo que buscaba era muy probablemente una forma de justicia que castigase, aunque no sé muy bien cómo pretendía hacerlo, a los que habían acabado con la imprenta de Gloria —sé que era de Gloria—. La censura, por supuesto, no le había dejado publicar aquello, pero ahora toda esa información estaba en mis manos; lo que no sabía era para qué quería que yo tuviese este reportaje jamás publicado. Estaba claro que lo que deseaba en última instancia era que yo tuviese noticia de aquel atentado, pero ¿por qué? ¿Esperaba que ahora lo publicase yo? ¿A quién le iba a interesar algo así? ¿Qué sentido tenía sacar ahora esto a la luz? De hecho, él mismo lo habría podido hacer sin problemas. La censura había acabado mucho tiempo atrás y tenía ese material consigo y un periódico a su disposición. Si lo hubiese considerado interesante desde un punto de vista periodístico —o simplemente para hacer esa justicia que yo presuponía que estaba detrás de todo aquel misterio—, podría haber dado la orden de publicarlo. De hecho, como autor de esas páginas, estaba claro que si había alguien interesado en que todo aquello viese la luz, ese tenía que ser él.

¿Qué esperaba de mí? ¿Qué pretendía que hiciera con todo aquello?

Decidí irme. Tenía que ir a la calle Luis Taboada, deseando que el número 14 fuese un solar y no un edificio. El solar que quedó cuando todo ardió.

El solar donde tenían que estar todas las respuestas.

O todas las preguntas.

45

Fui hasta el monumento de Verne, aun sin ser necesario, para verlo ahí sentado sobre el pulpo. Le pedí a un señor que pasaba que me sacase una foto con mi móvil; yo, allí, descansando, como un turista junto al viejo Julio, que soñó tantas cosas bonitas para papá y para mí. Se la envié a Celia con un clarísimo e indudable texto: «Todo va bien. Ya te contaré. Te quiero. ¿Me quieres?». Era muy probable que la segunda pregunta fuese impropia, pero necesitaba oírlo, o leerlo, de su voz, escrito por ella, saliendo de su corazón. Empecé a caminar despacio, como si quisiera darle tiempo para que me contestase, hacia la calle donde había estado la imprenta y, en efecto, al poco rato sentí vibrar el móvil mientras llegaba el sonido del mensaje. Lo abrí esperando las palabras que quería, pero no. Celia respondía con dos puntos y un paréntesis, es decir, el reconocido icono :).

¿Tanto le costaba decirme que me quería?

Siempre asocié la calle Luis Taboada con la policía. De hecho, la comisaría sigue ahí. Allí había ido a los catorce años para hacerme el carné de identidad y realizar distintas gestiones hasta que me fui a vivir a Coruña, donde me empadroné.

La calle cambió mucho desde que yo era niño. Ahora forma parte de una zona de la ciudad muy exclusiva, llena de edificios de lujo, pegada a espacios de ocio, con muchas familias de paseo por las tardes y mucha vida nocturna. Un lugar que lo tiene todo para la buena vida, tan cerca del mar, de la Alameda y del centro de la ciudad.

Entré en la calle, precisamente por donde estaba la policía, es decir, por el extremo más próximo al Club Náutico y la estatua de Julio Verne. Por el lado derecho están los números pares, lo que significa que para llegar al 14 solo tenía que dejar atrás siete edificios.

Y, en efecto, el número 14 era una casa de dos plantas apuntalada por unas columnas amarillas. Posiblemente el riesgo de derrumbamiento debió de ser alto en algún momento y los arquitectos del

Ayuntamiento tomaron esa decisión, como con tantos otros edificios del Casco Viejo, la calle Areal, Urzaiz y, en definitiva, del Vigo histórico, para que no cayese.

Me detuve delante de una puerta verde.

—Aquí estoy, papá.

Por suerte, no pasaba nadie tan cerca de mí como para oír a un señor calvo parado delante de una puerta de un solar abandonado hablando solo. Mejor dicho: hablándole al fantasma de su padre.

Puse la mano en el tirador y empujé, pero por supuesto no se abrió. Después de todo llevaba décadas cerrada. Quizá desde el año del atentado. Cuarenta años aproximadamente. Mucho tiempo. El suficiente como para no resistir la patada brutal con la que decidí, y con éxito, abrir la puerta.

Y, sin perder más tiempo, entré.

Lo que me recibió fue una húmeda oscuridad. Lamenté, como si estuviese dentro de una película de las típicas de argumento previsible, no tener a mano una linterna o uno de esos móviles grandes que me permitiese iluminar algo aquel sitio. Un espantoso hedor a suciedad me golpeó en la cara, llenándome los pulmones con un vaho asqueroso. Me eché la mano a la nariz, pues el olor era insoportable. En una esquina, justo a mi derecha, encontré restos de botellas, un colchón lleno de manchas y algo marrón que parecía sangre seca. En el suelo, dos jeringuillas con restos que también parecían de sangre. Poco a poco mis ojos se fueron acostumbrando a la escasa luz que se colaba por la puerta que había dejado abierta. El suelo se veía lleno de maderas ennegrecidas, muchas caídas del techo con el paso y el descuido de los años. En definitiva, el típico solar que hay en muchas ciudades y que termina por arder el día desafortunado en el que cualquier yonqui más colocado de lo normal le prende fuego sin querer. Aunque este, como ya sabía, había ardido hacía mucho tiempo y por otros motivos.

Mis zapatos se encontraron con un charco de agua o de alguna otra porquería líquida que me empapó el calcetín derecho. Al fondo conseguí distinguir, en un lateral, ladrillo a la vista, totalmente abierto de tal forma que la vegetación de lo que probablemente sería la parte trasera entraba sin oposición, un matojo de zarzas felices que se habían hecho dueñas de aquel espacio humano con todo el derecho del mundo. Definitivamente, el lugar en el que me encontraba era un solar abierto, grande, sucio y, probablemente, peligroso. A la izquierda se veía una estructura plástica o de algo parecido que probablemente pudo haber servido en su día como mostrador. Al fondo, detrás de un esqueleto de hierro retorcido y oxidado, sin duda víctima de las llamas, la humedad y el tiempo, lo que debieron de ser en su día las oficinas.

Y hacia ellas encaminé mis pasos.

46

En medio de aquel desastre, de aquellas paredes negras, de los charcos del suelo, de mis zapatos empapados y húmedos, del techo abierto que dejaba ver parte de lo que debió de ser la planta de arriba; en medio de aquella triste foto del pasado, de aquella escena que de alguna forma me estaba esperando desde hace varias décadas, en el centro, alguien había situado una mesa perfectamente intacta, perfectamente nueva y perfectamente limpia.

Y, sobre ella, la Underwood de papá.

Y un papel sobre la máquina de escribir en el que reconocí enseguida su letra:

«Casi has llegado al final, hijo querido. La máquina es para ti. Quédate con ella y busca un estante en el que lucirla. De estas ya no se fabrican. Y, como siempre, en el cajón hay un premio esperándote. Recuerda: fíjate en la cruz. Y gracias por todo este último esfuerzo».

Me acerqué muy despacio, preguntándome —eso era lo principal— cómo era posible que aquella mesa estuviese allí; cómo lo había hecho, fuera quien fuese, cómo había conseguido meterla, tan complicado como era llegar hasta aquel punto desde la calle. La mesa era nueva y estaba claro que había sido llevada allí para posar la máquina de escribir. Entraría, pondría la mesa, la nota de mi padre, la chocolatina en el cajón y se iría. Y había tenido que hacerlo hacía nada, porque cuando el día anterior visité la casa de Gloria la Underwood estaba allí. Desde luego que no era la mesa original de la imprenta que por alguna casualidad o capricho del destino había sobrevivido a las llamas y se había quedado allí, nuevecita e intacta. En realidad se trataba de una mesa barata, moderna, de un material que imitaba a la madera, una mesa de hipermercado, por decirlo de alguna forma. De hecho, en un lateral aún llevaba el adhesivo del precio que alguien había intentado arrancar, probablemente para que yo no supiese dónde había sido adquirida. Cómo habían conseguido meterla ahí dentro era algo que yo no era capaz de entender, salvo que quien lo hubiese hecho tuviese la llave del local y pudiese entrar sin la violencia con la que yo había tenido que hacerlo, a patada limpia. Eso, desde luego, alejaba mis sospechas de Gloria, a quien me costaba imaginar haciendo todo aquello, más que nada por lo avanzado de su edad.

Acaricié la Underwood como la vieja amiga que era. La escena se me antojaba muy parecida a la que él, o quien hubiera sido, me había preparado en casa de Gloria. La mesa sin nada más que la máquina de escribir. Esperándome, mesa y máquina, en ambas ocasiones. La otra vez aquella mujer se la había llevado con ella; sin duda para traerla a la imprenta porque sabía que yo iba a llegar hasta allí, como también lo sabía mi padre. Por eso él me había dejado preparado un premio en el cajón. Porque sabía que esta parte de la investigación también la completaría con éxito.

Papá me decía que no olvidase fijarme en la cruz...

Aún no entendía muy bien a qué podía referirse esta vez, pues para mí aquella parte ya estaba más que superada. Sin embargo, volvía a repetir lo mismo, que me fijase en la cruz. Y yo pensaba que ya lo sabía todo sobre aquello. De hecho, él mismo se había encargado de darme todos los datos sobre esa gente. La cruz era la Hermandad, aquel grupo sobre el que había escrito en el periódico y sobre el que no le habían dejado publicar nada. Eran los autores de las notas amenazantes que él había guardado en una de las carpetas para que yo los encontrase en casa de Gloria. Pero insistía de nuevo en que me fijase en la cruz.

Concluí que allí, en aquel solar quemado que un día fue una imprenta llamada Vailima, tenía que haber algo relacionado con el símbolo, es decir, con la Hermandad, y sobre lo que él quería que insistiera. Tenía que ser eso, pues no se me ocurría otra posibilidad. Papá me mandaba encontrar alguna evidencia física, alguna especie de prueba de que ellos habían estado allí, pero ¿el qué? Allí, desde luego, no había ninguna cruz, porque allí, en realidad, no había nada más que la mesa, la máquina de escribir, la nota de papel y la chocolatina. Al menos a simple vista. Así que volvía a estar perdido y lo que mi corazón me pedía era coger la máquina, el chocolate e irme a Coruña, a compartir todo aquello con Celia para que ella me ayudase a pensar. Incluso me apetecía coger el móvil y contárselo.

Pero no lo hice.

Como siempre, mi padre sabía que yo lo descubriría todo por mis propios medios y sin ayuda de nadie.

Y no tuve que buscar la cruz porque la cruz vino a mí.

Él solo me pedía que «me fijase» en la cruz.

No que la descubriese.

Y me fijé.

Fue todo así de fácil.

47

Me sentí invadido por una enorme alegría. Ya la había sentido en muchas ocasiones —aunque nunca como en esta—, cada vez que conseguía desentrañar alguno de los misterios, aclarar alguna de las pistas, ser merecedor, en definitiva, de alguna recompensa en forma de chocolate o de caja con fotos o de nota manuscrita o mecanografiada. Ya me pasaba de niño. Metía goles en el jardín trasero de casa, durante aquellos partidos eternos con los otros niños del barrio, y estaba feliz. Sacaba buenas notas y estaba feliz. La felicidad casi diaria de un niño normal que crece sin mucha angustia a su alrededor, pero nada era comparable a la extraña forma de gozo que me embargaba cuando la adivinanza se resolvía y el misterio se aclaraba. Y esta vez la felicidad era mucho mayor, ya no por saber que me encontraba al final de su juego, el más importante de todos cuantos habíamos vivido nunca —y el último—, sino porque ya intuía el porqué de toda aquella historia, ya sabía por qué mi padre había hecho todo lo que había hecho y de esa forma, una vez muerto y no antes. Lo entendía y al entenderlo fui feliz. Pero también me ponía a temblar al empezar a comprender qué quería que descubriese en realidad. No tenía nada que ver con lo que había pensado. No era, desde luego, como habíamos creído Celia y yo, para denunciar el caso del atentado contra la imprenta porque pertenecía a la mujer a la que él amaba y con la que había conseguido llevar una vida feliz. No podía ser eso porque no parecía motivo suficiente para montar lo que había montado después de muerto y con la colaboración de Gloria y quién sabe si de más personas. Como él mismo sabía, una vez que había desaparecido la censura y llegado esta nueva situación en la que la prensa no tenía las barreras infames de antes, nada le impedía publicar ese reportaje o incluso uno más completo y detallado, dando nombres y apellidos, si él hubiese querido. Pero no lo había hecho así y prefirió que fuese yo quien accediese a esa verdad. Preparó el camino, este mismo sendero que estaba a punto de terminar de recorrer, durante años. Y ahora, en la cumbre, al final, yo ya tenía claro que además de presentarme su otra vida, a Gloria y aquella existencia en común con otra mujer, aquel amor, romántico y lleno de pasión y de vida, lo que él quería era darme el nombre de la persona culpable, decirme quién había mandado cometer aquel atentado, quién tenía que ser castigado —aunque no se me ocurría cómo lo podría hacer décadas después— por aquella horrible barbarie. Y, como siempre, la clave estaba en aquellas últimas letras:

«Casi has llegado al final, hijo querido. La máquina es para ti. Quédate con ella y busca un estante en el que lucirla. De estas ya no se fabrican. Y, como siempre, en el cajón hay un premio esperándote. Recuerda: fíjate en la cruz. Y gracias por todo este último esfuerzo».

Lo leí despacio varias veces, como había que hacer con él siempre que me obligaba a jugar de esta forma. Sus mensajes exigían siempre dos o tres lecturas como mínimo para saber de verdad lo que quería decir. Siempre había algo oculto en lo que no me había fijado. Un doble significado. Alguna polisemia rara que me obligaba a perder tiempo investigando en una dirección cuando en realidad había que ir por otra que siempre era mucho más fácil.

Esta vez no sería menos, porque allí dentro, encriptado en el interior de aquel mensaje de símbolos, despedida y palabras, estaba la clave que descifraba para siempre el enigma que proponía sobre la cruz. O lo que es lo mismo: allí estaba el nombre del culpable. A quien tenía que visitar para hacer pagar por sus actos del pasado.

Eso implicaba volver a coger el coche e ir a otro sitio.

Doblé la nota con cuidado. De todas las que me había enviado, no había otra tan importante. Esta era la definitiva. Sabía de sobra que no habría más.

El juego se había terminado para siempre.

Abrí el cajón superior de la mesa.

Dentro, al lado de la chocolatina que ya me esperaba, lo hacía también la grabadora de mi padre. Hacía casi treinta años que no la veía. Era la misma que se veía en el reportaje censurado, una de aquellas primeras máquinas que los periodistas usaban para sus entrevistas, gigantesca e incómoda pero por aquel entonces considerada el súmmum de la modernidad. Un objeto que merecería estar en un museo de la tecnología y la prehistoria de la técnica. Ahora ya era mía y lo sería para siempre. Una vez más entendí que, como papá no hacía nada porque sí, la grabadora era para que yo escuchase algo. Por eso me sorprendió menos ver a su lado una bolsa plástica que contenía una cinta muy vieja y cuatro pilas alcalinas (papá siempre tan prudente).

Tenía claro que no necesitaba escuchar esa cinta para saber lo que contenía. Aquella era la grabación de la entrevista con los tres de la Hermandad de la Cruz. Lo más probable era que él quisiera que yo la escuchase para reconocer alguna voz o quizá porque hubiese allí algún dato que me diese la pista definitiva para saber quién había participado en el atentado contra la imprenta de Gloria. El material era valioso porque, evidentemente, ahí tenía que haber mucho más de lo que había transcrito en las páginas del periódico. Siempre es así. Lo haría en el coche: le pondría las pilas y escucharía con toda la atención del mundo mientras conducía hacia mi nuevo destino.

Recogí todo y fui hacia la puerta.

Pero sonó el móvil —el susto fue grande— y tuve que posarlo todo en la mesa para poder sacarlo de la chaqueta. Era un número oculto.

Así que podría ser papá.

Me saludó Adelino, el repartidor de la empresa de transporte que se encarga de la zona donde está la editorial y a quien conozco desde hace años.

Es un señor mayor que está a punto de jubilarse, que va con la furgoneta de la empresa por toda la ciudad y que nunca se libra de hacer una paradita en nuestra oficina para acercarnos algo. Me saludó por mi nombre y me dijo que estaba intentando dejar un paquete pero que no le abría nadie. Eso quería decir que Celia no estaba en la oficina. Habría salido a tomar un café o al banco.

—Pues haz como siempre, deja el paquete en la cafetería. Ya sabes. Yo no estoy en Coruña, ya lo recogeré.

Así lo hacíamos muchas veces. De hecho era absurdo que me llamase para anunciarme que tenía que entregar un paquete. Si no había nadie en la editorial, directamente lo dejaba en la cafetería de abajo, de la que somos clientes asiduos. Nosotros también lo hacíamos. Si queríamos que recogiese algo y pasaba cuando no estuviésemos, lo dejábamos directamente en la cafetería y José, el dueño, se encargaba de entregárselo cuando él viniese.

—Es que no es para la editorial. Es un paquete que viene a nombre de Celia, a vuestra dirección pero a su nombre, así que no sé si lo debo dejar allí o solo aviso para que ella lo recoja.

La verdad es que no sabía muy bien qué era lo que sucedía, pero sí que veía normal que el pobre hombre no supiera qué hacer. Los paquetes venían siempre a nombre de la editorial. Desde luego, era la primera vez que Celia daba su nombre como referencia para entregar un paquete en la oficina. Tenía que tratarse de algún asunto personal.

Así que igual no tenía que haber hecho lo que hice. Probablemente ni siquiera era legal pedirle lo que le pedí.

Le mentí, procurando que mi voz sonase confiada y sincera:

—¡Claro! ¡Ya sé lo que es! Llevamos un montón de tiempo esperando que nos llegue eso... ¡Sí que habéis tardado! —Puestos a mentir, mejor hacerlo exagerando.

Oí la risa del repartidor al otro lado, un sonido gutural que vino acompañado de un «manda huevos» irónico.

—¡Macho! Que nosotros repartimos cuando nos llegan las cosas y esto salió anteayer de destino. Así que no te quejes. —Me reí, forzado, para seguirle el juego. Y valió la pena—. Viene desde Alemania. Y mira, va sin portes, es decir, lo tenéis que pagar vosotros...

No quedaba ninguna duda: no era para la editorial.

Era algo personal.

Pero seguía sin entender por qué había pedido que se lo enviasen justamente allí y no, como sería más lógico, a su casa.

—Mira, Adelino. Estoy en Vigo y no voy a llegar hasta la noche. Celia estará todo el día fuera —seguía mintiéndole, no tenía ni idea de dónde podría estar en ese momento—, pero llevamos mucho tiempo esperando ese material y necesito saber que llegó todo bien. Así que, por favor, ábrelo.

Aquellos dos segundos de silencio eran la evidencia de su extrañeza. Por eso no me sorprendió que me volviese a recordar que venía a nombre de Celia y que solo lo podía abrir la destinataria. Cerré muy fuerte los labios para impedir que nada inconveniente saliese de mi boca, para que los nervios no me jugasen ahora una mala pasada. Sabía que tenía que convencerlo.

—A ver, Adelino, que ya son muchos años trabajando con nosotros. A Celia no le va a parecer mal. Te digo más: me llamará en cualquier momento y como le diga que llegó el paquete de Alemania y que no comprobamos que el material está todo bien me va a caer una buena...

La risa de Adelino al otro lado del teléfono me tranquilizó.

—Pero ¿el jefe no eras tú?

Me volví a reír, exagerando todavía más. Oí cómo abría el paquete.

—Corcho, chico, no sé qué vais a hacer con esto. —No sabía por qué, pero presentí que era la peor de las respuestas posibles—. ¿Qué vais a hacer con tanto chocolate?

48

Papá había dejado una mesa preparada. Pero mejor habría sido una silla. Porque era lo que necesitaba en aquel momento, justo después de despedirme de Adelino, quien confirmó que dejaría el paquete en la cafetería para que cualquiera de nosotros lo recogiese. Tenía que sentarme y respirar despacio para intentar entender el porqué de lo que acababa de saber, buscarle algo de lógica, dentro del laberinto que estaba siendo todo esto, al nuevo dato que acababa de entrarme directamente desde la oreja izquierda al corazón con todas sus taquicardias. Sentarme para ver cómo asimilar, ordenar, creer, tragar, digerir, esa nueva información que acababa de conocer —que desde luego Celia no quería que me llegase: el paquete venía a su nombre y los doscientos euros que costaba lo que había comprado, también—. Tenía que asumir el hecho de que Celia había pedido a una tienda de dulces de Alemania un paquete de chocolatinas Die Deutsche —«extra, sí, es lo que pone aquí en el albarán y en cada chocolate», me aclaró Adelino—, exactamente igual que la caja que estaba debajo de la mesa del salón de Gloria y exactamente igual que la que me esperaba entre los escombros de la imprenta en el interior de aquella mesa en la que lo tuve que apoyar todo para tomar aire y no desmayarme.

Por increíble que pueda parecer, en pocos segundos y al mismo tiempo podemos pensar un montón de cosas, todas lógicas y todas absurdas. Sobre todo si lo que tenemos que intentar entender —otra cosa es que podamos— resulta imposible de comprender. Porque era imposible imaginar por qué Celia había hecho ese pedido, sobre todo porque ella no sabía nada —estaba segurísimo de que no le había comentado nada sobre eso aún— de esa variedad de chocolatinas. Ella sí sabía que papá me premiaba con chocolates después de cada nuevo progreso, pero no le había hablado de las «especiales» ni de esa marca que ella había comprado en Alemania. Las mismas que hasta hacía medio minuto yo tenía claro que no se fabricaban, entre otras cosas porque no las había vuelto a ver desde que mi padre me las daba de pequeño. De hecho, ni esas ni las normales. Estaba tan seguro de esto que estaría dispuesto a apostar dinero contra quien fuese... Pero al parecer no era así. Se fabricaban o al menos había una tienda de chocolate, ni más ni menos que en Múnich —de allí dijo Adelino que había llegado el paquete—, que las vendía. Y hasta allí había ido Celia a comprarlas.

Pero ¿por qué?

¿Por qué había hecho eso?

Seguí apoyado un rato más en la mesa.

Me pesaba todo el cuerpo.

Quizá porque empezaba a pesarme mucho en el alma una terrible idea que me reventaba por dentro.

Que Celia, la misma mujer a la que amo y que no consigo que me declare su amor, es quien estaba detrás de todo esto.

De absolutamente todo esto.

49

Y, de repente, un pensamiento enloquecido, fuego incontrolable, locura inmensa, un terremoto letal reventándome en la cabeza: las chocolatinas, Celia, esas chocolatinas, Celia, qué hace esta mujer, quién es, ya lo veo claro, ya, Celia es quien envió aquel primer mail, eso no es imposible, pudo haber sido perfectamente ella quien me lo envió. Sí que pudo haber sido ella, sí, sin duda fue Celia, pero eso no tiene ningún sentido, porque por qué, por qué, por qué, por qué haría ella algo así y a santo de qué. Además, están las notas con la letra de mi padre, que era su letra es incuestionable, podemos entrar en una cuenta de correo electrónico y acertar con las claves y todo eso, pero no va a imitar tan bien la letra de papá como para engañarme. No, para, para, eso sí que no, sin duda es la letra de papá, exactamente su letra, no una parecida, yo podría reconocerla entre cientos de letras distintas, la que está en las notas manuscritas no es una letra que imita a la de papá, es la de papá y no otra diferente o parecida o semejante ni nada por el estilo. Entonces, esto quiere decir que Celia es la cómplice de mi padre, la que le está ayudando para sacar adelante su plan, que se activó el mismo día en el que murió, como él lo decidió y ella sabía. Claro, ella lo sabía todo desde el principio, absolutamente todo, pero ¿desde cuándo? Con la de tiempo que llevamos juntos, trabajando, y no soltó palabra ni se lo noté en ningún momento, y la de tiempo que llevamos queriéndonos, o al menos queriéndola yo. Así que ella estaba esperando a que él muriese para empezar con todo esto, como él le habría pedido. Pero, a ver, espera un momento, eso es aún más improbable que todo lo demás, ellos no se conocían; ¿o quizá sí? Quizá se conocían; pero ¿cómo se iban a conocer? Eso es, no se conocían, es imposible que se conocieran. O sí. A ver, papá conocía a mucha gente, de hecho recuerdo que hubo una vez, sí, una vez, que no fui a la oficina y al día siguiente ella me comentó que mi padre había venido a verme, en aquel momento ya me había parecido muy extraño que me dijese eso, así como sin darle importancia, sí, sí, es cierto, lo dijo así como para disimular, con total naturalidad: ayer conocí a tu padre, vino a verte sin avisar para darte una sorpresa y, como no estabas, estuvimos de cháchara un rato, tu padre es un señor muy agradable. Pero no, no, papá nunca vendría a verme sin avisar, igual que yo hacía cuando iba a Vigo, que avisaba primero, no tendría sentido hacer un viaje así sin tener muy claro si el otro estaba o no, por eso pactábamos antes los encuentros. Quedábamos con tiempo, ninguno de los dos se metería tantos kilómetros, autopista y cansancio para arriesgarnos a que el otro no estuviera, y menos él para verme a mí, que estoy a veces sí y a veces no, que incluso hay semanas que ni piso la editorial; él normalmente sí que estaba siempre en la Redacción, así que no puedo creer esa trola de que mi padre viniera a verme sin avisar. Ella había dicho que él le había comentado que quería darme una sorpresa apareciendo así, pero ese no era de su estilo, no al menos ese tipo de sorpresas; otras, como esta que me estoy llevando ahora mismo, o toda la historia de las notitas y la otra vida con otra mujer, y todo eso, sí, de esas ya sé que sí, pero no sorpresas como la mentira que Celia me contó de que apareció sin avisar, con lo ocupado que él estaba siempre, así que eso no me lo trago. Y, además, papá no iba a tramar todo esto con una desconocida por muy bien que le cayese, que Celia le cae bien a cualquiera, es un encanto y muy guapa. Yo que sé. ¿Y qué hace ella pidiendo estas chocolatinas, esta variedad en concreto? ¿Por qué, con qué idea? Papá y ella no podían estar confabulados para esto, para algo tan complejo, sería absurdo, aunque, a ver, aquellos zapatos eran de una mujer joven, sí, pero no tan joven como Celia..., o sí, es difícil adivinar la edad de la gente por unos zapatos y, además, claro, la última persona que me podría esperar allí en casa de Gloria era Celia, porque además si fue ella, entonces ¿cómo entró en la casa? Pues usando la llave, la misma que me hizo llegar mi padre, de la que ella tendría copia. ¿Cómo tenía ella una copia? Pues está claro: si ella es quien hizo todo esto, tendría una copia de todo. Pero no puede ser, no puede ser, no puede ser. Porque falta lo fundamental, que es el motivo, todo crimen tiene un móvil, y esto no es un crimen, pero casi, si ella tramó todo esto tiene que haber un por qué, tiene que haber una causa muy poderosa para estar ayudando a mi padre en un asunto tan turbio, tan duro, tan brutal, tan incomprensible, tiene que tener una razón poderosa para ayudar de esta forma a ese mismo padre que se me murió. Claro, ahora entiendo también lo afectada que estaba cuando volví del entierro, yo pensaba que por mí, por mi sufrimiento, por mi dolor, pero está claro que ella también estaba mal porque conocía al viejo, para tramar algo así de grande entre los dos tenían que conocerse mucho, tuvieron que tratarse mucho y, conociendo a mi padre, seguro que se cogieron cariño. Pero ¿cuándo? ¿Cuándo lo hicieron? ¿Cuándo lo prepararon? E imagino que él le comentaría a ella lo de su cardiopatía. ¡Esto ya es demasiado! ¡A una desconocida! ¡A Celia! No a mí, a mí no, a su hijo, a mí, que lo quería, que aún lo quiero, a mí no me dijo nada. Sí, pero para que yo no sufriese, yo qué sé, sí, sí, a ella sí que se lo dijo y la avisó: mira, en cualquier momento me va a dar un ataque al corazón definitivo, un infarto fulminante que me matará; entonces te tocará a ti, tendrás que estar preparada. Así que sí, Celia es quien está moviendo todos los hilos; entonces es ella quien me está dejando sufrir de esta forma cruel, con lo fácil que sería decirme: mira, tu padre quería las cosas de esta forma y de esta manera, pero no voy a hacer que pases por eso, no. Celia, no tenías que hacerme pasar por esto, como si su muerte no fuese ya suficiente dolor, y, claro, entonces no te entregas a mí del todo. ¿Me quieres, Celia? Yo creo que no, que no me quiere, en cualquier caso no me quiere como yo a ella, no me querrá nunca como a mí me gustaría que me quisiera, pero ahora ¿qué más da? Después de esto ya da igual, ya nada importa, porque después de esto nada va a ser igual, aunque quizá me estoy embalando y le estoy echando a ella todas las culpas. O quizá ella sí me quiere y se está conteniendo, de momento, sin darse del todo por ahora, sin abrir su corazón porque quiere que me centre en esto que pactó con mi padre. Pero ¿cómo pudieron hacerme algo así? ¿Cómo fueron capaces? ¡Qué frialdad! ¡Qué brutalidad! ¡Qué injusto! Ella no me quiere, ¿cómo me va a querer? Estoy seguro de que me dejará cuando todo esto termine, porque a fin de cuentas yo estoy enamorado y ella no, eso está claro, ella habló muchas veces de eso, de que dos adultos pueden tener una relación sin más, aunque no haya amor, disfrutar juntos y ser felices de esa forma, ¿cómo había dicho? Ah, sí, ya me acuerdo, «sin las complicaciones y el dolor que siempre más temprano o más tarde trae el amor», pero yo la quiero y no puedo evitar quererla como la quiero, sí, pero quizá ella no me quiere a mí, ella quiere que yo sepa lo que pasó aquel día que incendiaron la imprenta, quiere ayudar a mi padre a acusar a esa persona o personas que lo hicieron, y su interés termina ahí, ella está pendiente de lo que le prometió a mi padre: que se encargaría de que yo, siguiendo sus pistas y las que Celia también preparó, supiese quién había hecho aquello, para que yo lo descubra todo. Sí, era eso lo que quería mi padre, puedo aceptar que los mails, los sms y las notas de la Underwood fueron redactados por ella, siempre he sabido que no eran cosa de papá, que está muerto. Nunca estuve tan loco como para tomarme en serio que un fantasma me estuviera enviando correos electrónicos, o quizá solo estuve loco al principio. Pero las notas manuscritas, de esas no tengo dudas, son suyas, son de él, y lo que dejó en el notario y lo que encontré en casa de Gloria, sus fotos, su loción de afeitar en el baño, todo eso es real. Ahí mi padre se me está desnudando y diciéndome lo que me quiere contar desde el otro mundo, y vale, de acuerdo, vale: si acepto que Celia es quien hace las notas y envía los correos electrónicos, ¿cómo sabía ella lo de «hijo querido» que mi padre usaba para dirigirse a mí?, «hijo querido», no «hola, Toni» u «hola, hijo» u «hola, ¿qué tal?». No, siempre «hijo querido». ¿Cómo tenía incluso ese dato, tan íntimo, tan nuestro? Pues muy fácil: estaban confabulados. Seguro que se pusieron de acuerdo para hacerme esto, y papá habría tenido en cuenta todos los detalles, le habría dado toda la información necesaria para que yo no sospechara y, de hecho, si ahora sospecho es porque ella cometió ese error al enviar el paquete a la editorial, si lo hace a su casa ni cuenta me doy. O no, no, es aún más fácil, no te compliques tanto la vida, lo que pasó es que leyó algunos de mis correos en el ordenador de la editorial, nunca me he molestado en borrarlos, tampoco hay una contraseña para acceder a él, no tiene por qué haberla, y así cualquiera que se meta en mi ordenador, lo encienda y abra el programa de correo electrónico puede leer toda mi correspondencia, también los correos de papá, y lo cierto es que paso mucho rato fuera de la oficina, así que ella tuvo tiempo más que suficiente para leerlos todos con mucha calma. Así de fácil es explicarse cómo lo sabe, eso y otras muchas cosas, sí, ya no tengo ninguna duda, ni idea de cómo ni por qué lo hizo, pero no tengo ninguna duda en absoluto, ninguna, ninguna, papá y Celia estaban juntos en esto. Igual Gloria también, y, claro, Celia conoce a Gloria, desde el primer día, sí, no pareció sorprenderse mucho aquella vez, la primera, cuando nos acostamos por primera vez y vimos las fotos que papá había dejado ocultas en el libro de Stevenson, y está tan metida en esta historia que cuando no lograba avanzar algunas veces, cuando no sabía por dónde tirar o por dónde seguir, como cuando do *El Doctor Jekyll y Míster Hyde,* fue ella quien lo solucionó, quien aclaró el enigma, fue ella quien me dio la pista para poder seguir con mi investigación, haciéndome pensar que era yo quien sacaba aquellas conclusiones ¡siempre acertadas! Claro, no es que sea tan lista, que lo es, ¡cómo me engañó! ¡Cómo me está engañando! Se dio cuenta de que yo no iba a ser capaz de desentrañar esa parte del juego de papá, o del juego suyo y de papá, y ella me ayudó con el asunto del libro de Stevenson, que apareció como por arte de magia cuando se necesitaba, ese libro en concreto, precisamente ese libro que, mira tú por dónde, lo teníamos ese día en la editorial, justo el que necesitábamos, el volumen que nos permitía seguir investigando en la buena dirección. Y, claro, ahora entiendo por qué me decía que no me quedase en la oficina ni un solo día, que me fuese para Vigo ya, que fuese a casa de Gloria cuanto antes, porque ella iba a aprovechar para venir también, para coger la Underwood y la caja de las chocolatinas; con lo que no contaba era con que yo aún estuviese dentro de la casa, quizá pensaba que ya había terminado y estaba fuera, no sé, esto no tiene mucho sentido, pero sí explica lo de la chocolatina en el felpudo del notario, ella sabía que estaba dentro, que solo yo podía estar dentro porque era sábado, no es posible que estuviera nadie más. Y ahora ¿qué seguridad tengo de que la persona de la que me habló el notario sea realmente quien decía ser? ¿Por qué no pensar que es alguien que también colabora con ella, con ellos, y se hace pasar por notario? ¿Yo qué sé? Ya no entiendo nada y...

Y...

Y...

Y... mi madre dijo que hace un tiempo una mujer mandada por papá había ido a casa a buscar unos libros de la biblioteca. No le había dado importancia hasta ahora, pero mi mente iba a mil por hora y sacaba todas las conclusiones, asociando datos y detalles que no se me había ocurrido relacionar hasta ese momento, a una velocidad vertiginosa. Y ahora recordaba aquello que había dicho mi madre, ¿cómo era? «Una golfa de esas con pendientes en la cara».

Esa es Celia, que los lleva, en efecto, en la nariz, en el labio inferior, varios en las orejas. En ese detalle, para mamá tan desagradable, fue en el que se fijó.

Esa es Celia.

Mi madre lo había dicho justo así: que la había enviado mi padre y que se había llevado varios libros. Seguro que *El Doctor Jekyll y Míster Hyde* y *La isla del tesoro*, y todos los que me fueron rompiendo la cabeza estos días y que yo he ido «encontrando» guiado por «mi» inteligencia, manda huevos, durante mis investigaciones.

Sí.

Todo era pesado y me pesaba todo.

Como si el universo completo estuviese justo apoyado sobre mis cervicales, que se tensaban con el esfuerzo.

Un peso injusto de toneladas de injusticia.

Muy injusto.

50

Salí de la imprenta, no sin esfuerzo —me sentía agotado y me dolía terriblemente la cabeza— y arrastré como pude la máquina, la grabadora y mi desconcierto, sin fuerzas, completamente asténico, como si me hubiesen dado una brutal paliza, hasta la puerta, que cerré todo lo que me fue posible.

Dos ancianas que pasaban por delante en aquel preciso instante se quedaron clavadas en la acera observando mi maniobra y preguntándose qué clase de okupa sería aquel hombre extraño que salía de aquel solar abandonado con una máquina de escribir muy antigua bajo el brazo. «Debe de ser un ladrón —pensarían—. Un ladrón bien vestido, pero un ladrón, no hay más que ver que sale de ahí dentro con cosas». Las ancianas quizá recordaran que allí había estado durante años una imprenta, aquella que ardió, así que tal vez no les extrañaría que ese ladrón se llevase precisamente una máquina de aquella época. Pero puede que les sorprendiera que estuviera tan bien conservada y limpia. Sin embargo, en aquel momento, sobre todo después de la lluvia de ideas que se me habían ocurrido tras la llamada del mensajero y el descubrimiento del pedido de Celia de las chocolatinas, y el recuerdo de lo que me había contado mi madre, ya no me importaba que alguien se pudiese extrañar ni por lo que hacía ni por ninguna otra cosa.

Marqué el número del móvil de Celia. Contestó al segundo tono.

—¿Dónde estás? —pregunté procurando no sonar serio ni, mucho menos, nervioso.

—Trabajando, ¿dónde si no? —Noté que me faltaba la respiración y que mi ansiedad me iba a traicionar a pesar de mi prudencia—. Llevo toda la mañana aquí, ¿qué te crees? Alguna gente trabaja, no como otros que se van de paseo por ahí para jugar a los detectives.

No conseguí reírme con su broma, aunque debería haberlo hecho si lo que quería era parecer natural y que ella no sospechase nada.

Me informaba con toda naturalidad de que había estado en la editorial toda la mañana, algo que yo sabía que no era cierto. Así me lo había confirmado el repartidor de la empresa de mensajería.

—¿No has salido ni a tomar un café?

Se lo pregunté deseando que me dijese que sí, que había salido a tomar un café, y así creer —era una idea más agradable que todas las que se me habían ocurrido en los últimos minutos— que no me estaba mintiendo, que era una locura todo lo que acababa de pensar en la húmeda y alucinada soledad de las ruinas de la imprenta.

—¡Ni un minuto, jefe! —Podía imaginármela al otro lado del teléfono, haciéndome un saludo militar y gracioso con la palma de la mano en la sien, falsamente marcial. Pero no tenía gracia. Ninguna gracia.

Y no me quedó otra que lanzarme. Sin red y sabiendo que muy probablemente me iba a estrellar contra el suelo.

Tardé en encontrar las palabras exactas. Mientras, me preguntó:

—¿Va todo bien por ahí?

—No lo sé, tú sabrás.

Esta vez fue ella quien se calló, menos que yo, pero lo suficiente como para que percibiese su desconcierto.

—No te entiendo, Toni, ¿cómo que yo sabré? ¿Qué te pasa?

A pesar de que deseaba lo contrario, su voz sonaba firme. Sin duda, muy segura. Como es ella.

—¿No te ha llegado un paquete de Alemania? —Del otro lado, solo silencio—. ¿Para qué quieres tú tantas chocolatinas?

51

Fui muy claro con ella. Le expliqué que no entendía nada pero que prefería que ella tampoco me lo explicase. Que estaba tan sorprendido por el descubrimiento que acababa de hacer que prefería que ahora no hablásemos sobre esto ni sobre nada. Ella quiso saber que cómo lo sabía, pero no se lo dije, yo también iba a callar cosas.

—Hablamos por la noche. Me gustaría quedar contigo para cenar algo, con calma.

Su voz sonó triste. No preocupada: triste.

—¿Quieres que vaya a tu casa? —preguntó. Era una súplica.

Sabía lo que quería decir eso, o lo que podría querer decir eso, y el peligro —para mí— que había en el hecho de que quedásemos en mi casa. La amaba.

Incluso en aquel momento en el que me sentía tan traicionado, a pesar de mi enfado con ella, de la decepción completa, aun así la amaba. Pero no quería estar a solas con ella en mi casa, cerca de mi cama. No hoy. Quizá nunca más.

—No, mejor quedamos en la cafetería. Allí está el paquete que has encargado en Alemania. Por favor, no vayas a buscarlo antes que yo. Ya sabes que sé lo que contiene y para qué las querías. Nos vemos allí a las nueve, picamos algo y luego cada uno a su casa.

Esas últimas palabras dolían mientras iban saliendo de mi boca. Sonaban a ruptura. De hecho, eran una afirmación de ruptura. Hasta el momento en el que lo verbalicé, no me di cuenta de lo profundamente dolido que me sentía por todo lo que me había hecho. Quizá lo que la había movido a ayudar a papá en aquel juego terrible había sido una buena causa, pero no podía evitar sentirme engañado. Aunque la culpa había sido toda mía por enamorarme de ella de aquella manera. Yo soñaba con que ella también se enamorase de mí. Pero no era así, y nunca sería así. Y ahora, desde luego, ya no podría ser.

Comprendí lo idiota que había sido todo aquel tiempo. Ella siempre había sido clara conmigo, nunca me engañó y nunca salió de su boca el «te quiero» deseado. Me entregó su pasión, su cuerpo, su —a su modo— amor; pero no la clase de amor que yo quería.

Ahora ya podía hablar en pasado.

Ya no me interesaba tener con ella esa clase de amor, ni ninguna otra.

—De acuerdo, Toni, a las nueve en la cafetería.

Colgué sin despedirme.

Y sin pensar mucho más llegué hasta el coche, abrí el maletero y guardé la máquina de escribir.

Me llevé la grabadora conmigo.

Abrí la ventana. No hacía mucho calor, pero la angustia me estaba dejando sin aire y tenía la cabeza llena de gotas de sudor.

Saqué las pilas alcalinas del plástico; eran grandes, de esas que hoy ya casi ningún aparato usa; pero habían sido las pilas más comunes durante mi infancia, cuando todo era grande, sobre todo cualquier cosa eléctrica.

Metí la cinta y le di al *play*.

Y papá empezó a hablarme.

52

*H*ijo querido:
     Si estás oyendo esta grabación es que
todo salió como esperaba. Así que felicidades.
En breve recibirás en tu editorial una caja llena de chocolatinas, de esas especiales que tanto nos gustaban y que una amiga, a quien los
dos queremos mucho, te va a hacer llegar. Sin
ella nada de esto habría sido posible. Sé que
lo entenderás y que sabrás perdonarnos a los dos.
Después de mis palabras va la grabación de la
entrevista que la censura me prohibió publicar.
Cuando la hice ya imaginé que las autoridades
de la Dictadura no iban a dejarme contarlo
todo. Así que ahora te toca a ti. Estoy seguro de
que te estarás preguntando qué se espera de ti

ahora, tantos años después de todo aquello. Verás, hijo, todo y nada. Ya te lo imaginas. Las personas que hicieron aquello son todas muy mayores. Algunas incluso están muertas y a las que quedan ya no tiene mucho sentido romperles la cabeza con esto; pero hay alguien que participó con mucho interés en aquel acto de injusticia cuyo nombre debes saber. De hecho, estoy seguro de que ya sabes de quién hablo, y espero que hayas superado la impresión o que, al menos, esta no te haga mucho daño. Y si no lo sabes aún, entonces es que no te has fijado muy bien en el asunto de la cruz. Sin embargo, sobre esto yo ya no puedo hacer nada, aunque confío en tus dotes de detective, esas que me has demostrado desde que eras pequeño. Alguna vez te dije que serías un gran escritor de novelas policiacas... Sé que no es fácil para ti oír mi voz. Sé cuánto me querías e imagino el dolor que esto te puede estar causando. Lo entiendo perfectamente. Supongo que cuando seas muy mayor, si vuelves a oír esta grabación, con las heridas ya cicatrizadas por el paso del tiempo, lo harás con emoción y sin la rabia o el cansancio que quizá sientes en estos momentos. Como ya sabes, llevo muerto un tiempo; no sé cuánto. Quiero decir *que ignoro cuántos días o meses o años te habrá llevado llegar hasta aquí, pero conociéndote como te conozco, seguro que no has parado ni un segundo desde que descubriste la primera de mis comunicaciones para solucionar este enigma que no es otro, como ya sabes, que hacerle justicia a Gloria. No te voy a hablar mucho de ella. La conocerás en breve y ella te contará todo lo que desees saber, aunque puedo entender también que no quieras saber nada de la que fue la otra mujer de tu padre. Solo te quiero decir que la quise con locura, hijo, que la quise más de lo que se puede querer a una mujer y que, a pesar de lo duro que ha sido llevarlo todo en secreto, me hizo muy feliz hasta el último día de mi vida. Pero no quiero perderme hablándote de ella. No sería justo y no quiero condicionar vuestro futuro, solo quiero que sepas que todo esto lo he hecho por ella. La intolerancia, la brutalidad, la violencia más absoluta se ejercieron contra una persona que no se lo merecía y su sufrimiento fue muy grande. La imprenta era su modo de vida, su pan, la luz que la iluminaba, y esa gente acabó con todo su hermoso sueño y, además, no se pudo decir quién lo había hecho. Los culpables nunca han sido condenados ni podían ser condenados. Hicieron eso y otras muchas barbaridades que la prensa de la época silenciábamos o, como tuve que hacer yo, publicábamos casi de forma clandestina y jugándonos de alguna forma el pan y la vida. Pero para mí era fundamental publicar aquella nota. Que quedase escrita y que algún día sirviera para algo. Y ahora sirve para algo, ¿ves? Como ya habrás leído en el reportaje que te dejé sobre mi mesa en el periódico, la gente de la Hermandad de la Cruz dijo que el ataque era porque allí se imprimía propaganda comunista y que ellos, dispuestos a atacar todo lo que implicase ir contra el Régimen franquista, le habían prendido fuego como un acto patriótico y, en fin, todo eso que ya conoces. Pero estoy seguro de que no ignoras que el motivo real no era ese..., y yo tengo que dejarlo aquí, querido hijo. Ya sabes que no creo en el otro mundo, pero, si existe, debes saber que, desde donde sea, estoy cuidando de ti. Adiós, mi pequeño Simbad el Marino.*

Aunque no se crea, es posible conducir sin ver. Y yo no veía la carretera. Las lágrimas me impedían ver la carretera, los coches, los semáforos y las señales. Pensé que lo mejor sería parar donde fuese, llorar todo lo que hubiese que llorar y luego seguir, pues de lo contrario podría tener un accidente.

Pero no paré.

No quería parar.

Y no tuve un accidente.

La cinta, con un sonido deplorable pero que permitía una escucha más o menos decente, era prácticamente lo que papá había transcrito en las dos páginas del periódico. Casi siempre contestaba el mismo hombre. Solo oí responder un par de preguntas al otro y en ningún momento a la mujer.

La verdad es que no sabía muy bien por qué mi padre tenía tanto interés en que escuchase la cinta. Sin duda tenía que haber algo en ella, además de aquellas palabras a modo de prólogo, que yo —qué novedad— iba a tener que descubrir.

Y no fue muy difícil.

Terminó la grabación justo en el instante en el que, sonriendo, aparqué en la puerta de la casa de mi madre.

53

Que me abriese ella directamente solo podía significar que Rosamari no estaba en casa.

—¿Qué haces tú aquí? ¿Le has cogido gusto a verme o qué?

Entré sin responderle e ignorando la ironía. Una vez dentro le dije que tenía que coger un par de libros de la biblioteca de papá. Ella me siguió detrás.

—¿Te importa que me siente? Estoy fatal de las piernas, ya lo sabes.

Como siempre, empezaba con su eterno discurso relacionado con dolores, pruebas médicas y sufrimientos varios. Llevaba oyendo ese rollo toda mi vida y solo con oírlo otra vez, ya me sentía cansado.

—¿Cómo es que estás en Vigo? Podrías haber avisado y le decíamos a Rosamari que pusiera un plato más.

Volví a privarme de responder. Ni siquiera la miré. A ninguno nos apetecía que yo me quedase a comer.

Como me imaginaba, faltaban los dos libros de Stevenson.

—¿Qué buscas?

Le dije los títulos. No tenía nada que perder.

—Sí, esos se los llevó la golfa esa de la que te hablé. —Ahora sí que la miré—. Ya te había contado que venía enviada por tu padre.

Y solté una locura.

—Dirás que venía enviada por mi padre y por Gloria. —No pestañeó ni se movió ni hizo ningún gesto ni cambió la cara ni nada de nada. Así que seguí hablando—. Ya sabes, Gloria. La otra mujer de papá.

No sabría explicar muy bien qué era lo que sentía en aquel momento mientras me oía hablándole con tanta dureza. Quizá estaba alegre, o tal vez simplemente sentía esa forma de liberación que nos otorgan ciertos sentimientos de venganza cuando por fin se consuman.

Ella seguía petrificada en el sillón y durante un momento me pareció que se encogía y se volvía más pequeña.

—Lo sé todo, mamá. Y cuando digo todo, quiero decir precisamente eso: todo.

Soltó una especie de largo suspiro. Algo parecido a un quejido. Tomaba aire. Iba a hablar.

—Tu padre tenía una fulana, sí.

Ya no la dejé seguir.

—No era una fulana, mamá. Era la mujer a la que él quería.

Me miró con suavidad. Con esa blandura propia de una mirada que odia muy conscientemente.

—Dime a qué has venido.

Volví a la biblioteca. A donde estaban los clásicos. Ahí se encontraban todos esos libros que yo había leído docenas de veces. Los clásicos que papá adoraba y que yo aprendí a amar gracias a él. Destacaba un hueco donde habían estado los dos que faltaban y que Celia se había llevado.

Entonces cogí la cruz en la mano.

—Venía a por esto, mamá. —Esa vez abrió mucho los ojos. Y eran, realmente lo eran, ojos de espanto—. Venía a por la cruz, mamá. A por esta cruz que conocerás muy bien.

En mi mano derecha apretaba una cruz de metal con dos brazos de fuego, un objeto que siempre me había parecido espantoso y feo y que recordaba en mi casa de toda la vida. Era un objeto metálico, de la altura de uno de aquellos volúmenes que adornaban los estantes y la vida de papá. Era la misma cruz que aquella mujer mostraba orgullosa a la cámara en el reportaje nunca publicado. Era la cruz que se escondía detrás de los dos libros de Stevenson que Celia se había llevado para que esta quedase a la vista de mis ojos cuando fuese necesario.

Aquella mujer era mi madre. La de la cinta. La encapuchada del reportaje del periódico. La que no hablaba porque mi padre podría descubrirla si abría la boca.

En aquel momento me sentía pletórico y, de nuevo, orgulloso de la habilidad de papá.

Ella había vivido toda la vida en la calma del criminal que comete su delito, un delito que los años llevan al olvido. Ella, desde luego, nunca sospechó que él lo supieran.

Pero ahora todo se aclaraba. Por fin absolutamente todo encajaba.

Como una criminal de las peores de entre las peores películas del cine malo, intentó engañarme, pero su voz sonaba falsa:

—No te entiendo, hijo. Vas a tener que explicarte mejor.

La segunda frase, de hecho, le salió casi sin fuerza. Me costó entenderla de tan débil como nació de su boca.

Avancé hacia ella. Con la cruz en la mano.

—Sé que tú eras una de las que intervino en el atentado contra la imprenta de Gloria en el año 1972. Sé que tú participaste en aquella barbaridad y que arruinaste a aquella buena mujer. Lo sé todo, mamá, absolutamente todo.

Dejó de mirar a la cruz y clavó los ojos en mí.

—No sé de qué me hablas. Esa cruz fue un regalo de unas amigas hace mucho tiempo —contestó, como si realmente lo que nos preocupara en aquel momento fuese la cruz en cuestión, como si no escuchase la gravedad de las acusaciones que acababa de verter en su contra.

Quizá por eso exploté.

Y le grité que mentía, que tenía todas las pruebas, que papá me lo había contado todo, que sabía que el ataque había sido porque ellos estaban al tanto de que en la imprenta se imprimía material comunista... Se lo dije todo de golpe y casi sin respirar.

Alguien estaba en la puerta. Era Rosamari. Llegó al salón y no se atrevió ni a saludar. Me imagino que nuestras caras hablaban por sí solas y explicaban a la perfección lo dramático del momento. E incluso dábamos un poco de miedo, allí clavados el uno frente a la otra, con tanto asco, al menos en mi expresión, dibujado en la cara.

A pesar de todo, y como si lo hubiésemos pactado, los dos disimulamos cuando ella dijo que se marchaba a la cocina para terminar de hacer la comida.

Rosamari huía. No sabía de qué, pero era obvio que huía de aquel salón donde estábamos mi madre y yo jugándonos el cuello y la vida a tumba abierta.

Cuando por fin abandonó el salón, saqué las páginas del periódico para dárselas a mi madre. Las cogió y pude notar cómo le temblaban las manos.

—Seguro que recuerdas esta conversación con papá.

No me contestó. Y no leyó las páginas. Me las devolvió igual de seria que cuando las cogió.

—No sé qué pretendes demostrar. Esto pasó hace mucho tiempo y este delito ha prescrito y nadie podrá condenarme por eso. Nunca podrás probar que esa encapuchada de ahí soy yo.

Sabía que era cierto lo que me decía. Que pese a todo lo que papá me había proporcionado no tenía forma de demostrar nada. Ya me había dado cuenta de eso en el coche, mientras escuchaba la cinta a la vez que encajaban en mi mente todas las piezas de aquel rompecabezas, de aquella adivinanza que mi padre me había propuesto para cambiar, para siempre, ya no solo mi vida, sino también la de mi madre. También comprendí que no era cierto que mi padre quisiera darles castigo, sino que lo que buscaba era mucho más simple.

Entendí que solo quería utilizarme de mensajero, de puente, de vehículo transmisor para decirle a mi madre que él lo sabía, que siempre lo había sabido, que había vivido todos aquellos años consciente de que compartía techo con una de las personas que tanto daño le habían hecho a la mujer a la que él quería. Obviamente, en vida no se lo había podido decir. En vida, mi padre —quizá por mí, o por lo que fuera— había mantenido las formas, y soy capaz de imaginar todo lo que le debió de costar vivir con mamá. Ya no solo por todo lo que ya he contado sobre ella, sino sobre todo porque él era consciente de su maldad. Esperó a estar muerto para decirle a su mujer, a través de mí, que lo sabía. Y que la repudiaba, incluso, desde el otro lado de la vida. Así que dejé que a través de mi boca hablase papá.

—Él siempre lo supo. Siempre tuvo claro que tú habías sido una de ellos... Vivió toda la vida contigo y sabiéndolo, mamá. Ya puedes imaginar el asco que le dabas...

Ella, con la parsimonia a la que le obligaba la debilidad de sus piernas enfermas, se levantó muy despacio. En ningún momento hice el gesto de ayudarla. Me sentía emocionado, nervioso, confuso, harto y feliz, y todo era una locura en mi cabeza y mi corazón. Apretaba con fuerza la cruz, como si fuese a golpearle en la cabeza a alguien en cualquier momento.

Aflojé la mano.

Y ella su corazón.

Me puso la mano sobre el hombro izquierdo y luego habló:

—Aunque no lo creas, hubo un tiempo en el que tu padre y yo nos queríamos, pero esa Gloria tuvo que meterse en medio para destrozar nuestra familia.

Me alejé un paso de ella. Coloqué la cruz donde estaba, detrás de los libros.

—Papá no fue feliz contigo, mamá. No te quería. A quien amaba era a Gloria. Y atacasteis su imprenta porque a quien querías destruir era a ella. No era por lo que se imprimía allí. Eso fue lo que dijisteis, la excusa que te valió con esa gente con la que montaste aquella historia de la Hermandad de la Cruz. Eso fue lo que quisisteis hacer creer a todos los fachas que os animaban en vuestra barbarie —la miré de nuevo—, pero fuisteis a por Gloria para castigarla porque estaba con tu marido, no por el asunto político...

Empezó a caminar hacia la puerta de la cocina. Ya era hora de comer.

—Por lo visto a tu padre no le bastaba con todo lo que yo le daba. Tenía una posición, un nombre y un trabajo envidiable. Era un hombre importante, pero ¿sabes qué? Siempre decía que le faltaba algo.

Respondí yo sabedor de que estaba en lo cierto:

—Sí, le faltaba amor.

Se fue a la cocina. La vi avanzar por el pasillo y era consciente de que acababa de tener mi última conversación con ella para todo lo que nos restaba de vida.

Entré en el coche y en la autopista. Mi padre tuvo con Gloria lo que no había podido tener con mi madre. A mi padre le faltó el amor, una vida llena de pasión y de luz. De repente, todos aquellos *Textos náufragos* —así debió de sentirse: un náufrago en la peor de las soledades en aquella casa triste que fue la nuestra— cobraban un nuevo sentido. Aquellas palabras habían sido inspiradas por una mujer que lo amó y a la que amó.

La casa fue quedando atrás. El trabajo ya estaba hecho. Papá necesitaba decirle a mi madre que lo sabía todo.

La justicia estaba hecha.

Ahora tenía que ir a Coruña, guardar todo el material, ducharme e ir a hablar con Celia.

Ella era el enigma que me quedaba por entender.

54

Celia me convenció para no quedar en la cafetería y volver a aquel mesón en el que habíamos comido hacía solo una semana, aquella primera vez maravillosa que terminó con los dos en la cama amándonos como nunca se habían amado dos amantes. O, al menos, como yo nunca había amado. No sé Celia. Y lo cierto era que en aquel momento tampoco quería saberlo. No me negué cuando ella me puso un mensaje sugiriéndome quedar allí, que sería un lugar cómodo donde poder hablar sin que nadie molestase. No puse problemas. Sabía que no iba a pasar nada. Absolutamente nada. Íbamos a hablar y yo tampoco quería nada más que eso con ella y terminar así de entender todo aquel disparate.

Llegué antes y pedí una cerveza. Un minuto después ella entraba por la puerta. Venía seria y con gafas de sol. Hizo el gesto de darme dos besos, pero se quedaron en el aire, porque yo no me levanté a dárselos. Se quitó las gafas y pude ver sus dos ojos rojos e hinchados, seguramente de llorar mucho.

Estaba seguro de que lloraba por nosotros dos.

—¿Cómo has podido hacerme esto? Todo era muy fácil, Celia. Bastaba con que me hubieses dicho desde el principio cómo estaban las cosas. Pudiste hablarme de Gloria. Pudiste explicarme que fue mi padre quien te pidió todo aquello. Pudiste haberme ahorrado mucho dolor —dije eso y me callé, a la espera de que contestase algo. Como no habló, continué—: Y, sobre todo, pudiste haber evitado que me enamorase de ti —la miré profundamente—, porque yo me enamoré de ti, aunque sé que tú de mí no.

Unos segundos de silencio siguieron mi discurso. El corazón me latía con fuerza y me temblaban las manos.

—Verás, Toni. Para ti puede ser difícil de entender —se calló unos instantes, buscando las mejores palabras para decir lo que me quería decir—, pero yo soy así. No eres el primero en mi vida. Quizá eres el más especial que pasó por ella, pero no estoy enamorada de ti. —Las palabras eran cuchillos y pensé que me iba a morir allí mismo, fulminado, a pesar de que estaba oyendo lo que sabía que iba a decirme—. Pero eso no quiere decir que no te ame. Porque yo te quiero mucho, Toni. Te quiero mucho —puso una mano sobre la mía, que descansaba en la mesa; yo no la aparté—, y por eso entré en tu cama, por eso y por todo lo demás; pero no era parte del plan que esto pasara. No soy así. —Vi, al mirarla a los ojos, que era absolutamente sincera en lo que decía. Y no diré que todo dejara de doler, pero dolía menos—. Habrá tiempo para hablar de estas cosas, Toni —añadió mientras ponía el bolso sobre la mesa.

Lo abrió y sacó su cartera. Cogió una foto pequeña y, antes de verla, ya sabía que era la otra mitad de aquella imagen que el notario me había dado y que yo tenía cortada. Una vez más mi corazón enloqueció ante aquello.

—¿Cómo la has conseguido? ¿Te la dio mi padre? —pregunté mientras sacaba mi mitad de la cartera. Las pusimos una junto a la otra y allí estábamos, dos bebés cogidos de la mano. Yo, apoyado en una pared. El otro bebé, agarrado por mi padre, en una foto de hacía muchísimos años.

—Siempre ha estado aquí, en esta cartera. Tú y yo estuvimos muchas veces juntos cuando éramos pequeños.

Lo entendí todo de repente.

—En tu casa, con Gloria.

Celia sonrió con esa sonrisa franca, casi adolescente, con la que solo ella sabe sonreír. Gesticuló con la cabeza dándome la razón y acto seguido me dio un beso discreto en los labios que era, de alguna forma, una declaración de paz.

55

S omos hermanos?
La pregunta no era absurda. Acababa de darme cuenta de que Celia era la hija de Gloria y no pude evitar imaginar que también era hija de papá.

—No, no somos hermanos —aclaró rápidamente—. Si lo fuéramos no me habría atrevido a llegar tan lejos contigo, tontorrón. —En efecto, ya no dolía tanto—. Pero yo sí que tengo muchos recuerdos de tu padre en casa, con mamá y conmigo.

Tuve que interrumpirla.

—¿Ella vive?

Celia volvió a sonreír.

—Claro que vive. Aquí, en Coruña, conmigo. Y está deseando verte.

Cogí aire después de oír eso. Me eché hacia atrás, como si buscara que mi pecho se expandiese y encontrase oxígeno para seguir respirando. Noté el temblor de mis piernas. Una emoción feliz me llenaba por completo en aquel instante.

—Has estado en nuestra casa muchas veces. Según lo que me ha contado mamá, hasta los dos años o así. Imagino que luego Antonio —mi cara debió de mostrar la extrañeza que me causaba que se refiriese a él con tanta familiaridad— entendió que ya era peligroso traerte. Supongo que por si decías algo en casa. Ya sabes cómo son los críos.

—¿Quién es tu padre?

Celia explicó en un largo discurso todo lo que yo quería saber. Incluso lo que no se me había ocurrido preguntar.

Nunca tuvo muy claro quién era su padre. Gloria había sido, como tantas otras, una madre soltera en pleno franquismo. Ella decía que lo más parecido que tuvo a un padre había sido Antonio, con quien había tenido, como yo, muchos años de vida en común. De repente comprendí que Celia había vivido con él lo que yo no había podido tener. Una vida de familia de verdad, aunque fuese por horas, aunque no fuera todos los días. Pero sí que tuvo todo eso. Ella me explicó con muchos detalles las fiestas de cumpleaños, momentos delante de la televisión y muchas cenas. Así que mi padre no salía siempre tan tarde del periódico. Muchas noches era en casa de Gloria y de Celia donde terminaba el día y, probablemente, donde empezaba la vida para él. Celia fue quien lo acompañó a todas aquellas citas con los médicos, y me confirmó en este punto, creo que porque la amargura me había vuelto a la cara, que su decisión de no informarme se debía única y exclusivamente al deseo de no provocarme ningún dolor innecesario. Gloria sí que estaba informada y, por lo tanto, también Celia. No sé, de hecho nunca lo sabré, si mi madre conocía la enfermedad de papá.

Quizá tendría que habérseme caído el mundo encima, pero no fue así. En realidad, me sentía bien. Muy bien. No sé si era alivio, pero me sentía bien. Toda la angustia que me había atacado horas antes, al darme cuenta de que Celia participaba en aquella siniestra fiesta maquiavélica urdida por mi padre, había desaparecido. Lo entendía todo y a la perfección. También que yo no era el hombre que le robaría el corazón, pero que eso no tenía que significar que no me quisiera o que no tuviésemos ocasiones para amarnos. Y que mi padre había sido un genio. Un hombre valiente por apoyar, como pudo, la resistencia antifranquista, pero sobre todo un tipo fantástico que, además de seguir jugando conmigo después de muerto, había sabido esperar tantos años para darme la información cuando tenía que ser, no antes. Y no me importó que Celia fuese su cómplice. Y entendí la energía que ella puso en su día para que la contratase cuando busqué una trabajadora para la editorial.

Celia tenía que ser su cómplice. La única posible.

Guardé los dos trozos de la foto en la cartera. No le pedí permiso para hacerlo. Ella tampoco dijo nada y se limitó a sonreír al ver que me la quedaba.

—Tú has tenido cosas con mi padre que yo no tuve. Así que me parece justo que me quede con este recuerdo suyo... y tuyo. —Oí mis palabras y comprendí que eran también una despedida—. Me gustaría conocer a Gloria.

Celia me dio un abrazo largo, precioso.

—Te está esperando en el coche.

56

Ver a Gloria fue como ver a Celia dentro de unos años. Salió del coche en cuanto nos vio caminar hacia ella. Delante de mí, avanzando con los brazos abiertos, venía una mujer de ojos brillantes, sin duda por la emoción y las ganas de soltar las lágrimas reprimidas durante tanto tiempo. Las mismas que yo deseaba liberar. Una mujer realmente guapa que no se desviaba en nada de lo que nos habían mostrado aquellas primeras fotos que Celia había escondido en aquella caja del despacho, detrás del libro de Stevenson. Gloria llevaba un vestido largo de flores y el pelo recogido en una coleta y al llegar hasta mí, antes de fundirnos en un fuerte abrazo, pude ver sus ojos castaños color almendra idénticos a los de su hija.

Volvimos al mesón y llenamos las horas de conversación, risas y también algunas lágrimas. Ella me enseñó más fotos, me contó su vida, cómo mi padre las había mantenido a Celia y a ella y cómo habían sido aquellos años en común de los tres. Al escucharla, entendía que acababa de ganarme una aliada para muchos años. Tantos como la vida quisiera regalarnos. Mejor dicho: entendí que tenía dos amigas. Que el cariño que Celia iba a sentir por mí el resto de su vida, como yo por ella, era el de dos amigos que se quieren de una forma indestructible y especial. Sabía que no iba a volver a entrar en su cama pero que su corazón lo tendría para siempre.

Gloria habló de aquellos años difíciles, cuando de madrugada había que imprimir los folletos que después los sindicatos obreros repartían por la ciudad en sus huelgas, animando a la resistencia contra la Dictadura. De cómo mi padre había invertido horas de madrugada trabajando en la imprenta con ella, aunque en teoría estuviera en el periódico. Me habló de las muchas publicaciones que se habían impreso en Vailima en la clandestinidad dedicadas a la causa en la que se habían dejado la vida todos aquellos luchadores, en algunos casos literalmente. Habló de papá y de su amor por los libros y me confirmó que, en efecto, él quería que yo publicase sus *Textos náufragos*.

Ya bien entrada la noche, Celia dijo que la iba a acercar a casa y que, si no me importaba, quería ir por la editorial a recoger sus cosas. Yo no dije nada y mi silencio fue un sí. Gloria nos miró a los dos y aquella era una mirada de amor y felicidad.

Al día siguiente, cuando entré en la editorial, no quedaba rastro de Celia. Su mesa estaba perfectamente ordenada y limpia, como si nunca hubiese estado allí.

Y sobre mi mesa, una caja de chocolatinas y una foto de los dos riendo, como si la vida fuese algo que nos pertenecía por completo —y era cierto cuando nos la hicimos—, algún día feliz de los días anteriores, en una terraza de la ciudad después de haber hecho —lo recuerdo muy bien— el amor durante muchas horas.

No la llamé al móvil. Sé que no me habría contestado. No aún. No por el momento. Ella sabe que tengo que reconstruir los pedazos de mi corazón, todavía roto.

Un corazón que ahora es más fuerte, más sabio y, sobre todo, más generoso.

Como lo fue ella conmigo. Como lo fue mi padre con Gloria.

Como quiero que siempre sea el mío.

Este libro se terminó de imprimir
en el mes de septiembre de 2016